Ivor Baddiel / Jonny Zucker

Machtige Magie en Goochem Gegoochel

Geïllustreerd door
Mike Phillips

Kluitman

NEDERLANDSE
KINDERJURY
2006

Omslagontwerp: Nils Swart Design/Design Team Kluitman
Nederlandse vertaling: Inge Pieters
Dit boek is gedrukt op chloorvrij gebleekt papier,
dat vervaardigd is van hout uit productiebossen.

Nur 210, 240/G090501
© MMV Nederlandse editie: Uitgeverij Kluitman Alkmaar B.V.
© MMIII tekst: Ivor Baddiel & Jonny Zucker
© MMIII illustraties: Mike Phillips
Oorspronkelijke uitgave: Scholastic Children's Books
Oorspronkelijke titel: _The Knowledge. Mystical Magic_
Published by arrangement with Scholastic Ltd. of Commonwealth House,
1-19 New Oxford Street, London WC1A 1NU England.

www.kluitman.nl

Inhoud

INLEIDING

Goochelaars kunnen verdwijnen, iemand doormidden zagen of zelfs dagenlang in leven blijven binnen in een blok ijs. Als je ooit zoiets hebt gezien, durven we te wedden dat je verbijsterd, verstomd en versteld stond. We durven ook wel te wedden dat je best zou willen weten hoe goochelaars al die krankzinnige kunsten uitvoeren. Of niet soms?

In dit boek onthullen we een paar beroepsgeheimen, maar niet alle. Goochelaars doen nogal geheimzinnig en als we te veel verklappen, goochelen ze ons straks voor altijd naar de maan. Dus moet je voor sommige trucs maar je eigen hersens gebruiken om uit te vissen hoe ze werken.

Wat je in *Machtige Magie en Goochem Gegoochel* wél te weten komt, is hoe je een groot artiest en illusionist kunt worden. Want daar draait de magie in dit boek om. De goochelaars in dit boek hebben geen speciale toverkrachten. Het zijn doodgewone mensen die keihard geoefend hebben om het te laten *lijken* alsof ze wonderbaarlijke dingen doen en die ook nog vermakelijk en mysterieus kunnen presenteren. En als zij het kunnen, dan kun jij het ook.

Om je door een paar toptrucs heen te loodsen waarmee je je vrienden compleet zult verrassen, verwelkomen we de enige echte Machtige Miraculo met zijn onhandige assistent Klunzini. Geef ze een warm applaus!

DANK U, DANK U. U BENT EEN FANTASTISCH PUBLIEK. MAAR VOOR IK WAT DAN OOK KAN LATEN ZIEN, MOET IK U EERST VRAGEN OM IETS VOOR ME TE DOEN, NAMELIJK DE GOOCHELAARSEED ONDERTEKENEN. KLUNZINI, ALS JIJ ZO VRIENDELIJK WILT ZIJN...

Goochelaarseed

Ik........................(jouw naam) beloof dat ik nooit zal verklappen hoe je de trucs die ik leer moet uitvoeren, zelfs al bieden ze me bergen snoep, zweren ze om voor altijd mijn huiswerk te maken, geven ze me elke week hun zakgeld en beloven ze me al hun salaris als ze later werk krijgen.

KLAP! KLAP! KLAP! KLAP!

Klaar? Mooi. Nu we dat achter de rug hebben, kun je verder lezen en ontdekken:

- Welke illusionist bij wijze van truc een gladiator te paard inslikte.
- Hoe goochelaars dingen als olifanten, vliegtuigen en zelfs gebouwen laten verdwijnen.
- Waarom sommige goochelaars liever spieren lezen dan gedachten.
- Hoe je zelf een onvergetelijk optreden kunt geven.

Weet je wie echt onvergetelijke optredens verzorgde? De Nederlander Fred Kaps (1926-1980), de beroemdste goochelaar uit ons land aller tijden. Fred, die eigenlijk Bram Bongers heette, werd drie keer wereldkampioen goochelen: dat heeft niemand hem ooit nagedaan. De Nederlander was echt een geniale goochelaar en trad over de hele wereld op. Ook een keer voor de beroemde komiek en filmster Charlie Chaplin. Op een dag was er een optreden in het Tuschinski-theater in Amsterdam. Fred Kaps liet zijn kunsten zien voor de film begon. Zodra hij klaar was, verlieten alle goochelfans – en dat waren er heel wat – de zaal. Die film kon ze niets schelen: ze waren alleen voor Fred Kaps gekomen!

Laten we nu eens kijken hoe het publiek in de oudheid werd beetgenomen met behulp van bekers...

9

KLASSIEKE KUNSTJES

De eerste goochelaars traden zo'n 4500 jaar geleden op voor de farao's van het oude Egypte. (Misschien waren er voor die tijd ook wel goochelaars, maar daarover zijn geen verhalen bewaard gebleven.) Dat weten we, omdat hun optredens zijn vastgelegd op de Westcar-papyrus*, een oud, Egyptisch document. Hierin wordt verteld over een vent die Dedi heette. Hij was volgens de verhalen 110 jaar oud (op zich al een hele toer) en kon een dier waarvan de kop was afgehakt weer tot leven wekken. Volgens de papyrus deed hij dit eerst met een gans en daarna met een stier. Beide keren sprak hij een toverspreuk uit, waarna de koppen op mysterieuze wijze weer op hun plek belandden en de dieren weer tot leven kwamen.

* Als je de Westcar-papyrus met eigen ogen wilt zien, dan kan dat in het Staatsmuseum in de Duitse hoofdstad Berlijn.

10

Helaas weet niemand hoe Dedi die truc precies uitvoerde, of zelfs maar of het allemaal echt gebeurd is. Het verhaal kan namelijk net zo makkelijk een soort sprookje van Moeder de Gans zijn. Die Westcar-papyrus is 1000 jaar later geschreven dan de gebeurtenissen die erin beschreven worden. Dus al die tijd is het verhaal mondeling overgedragen. Het zit er dik in dat Dedi een iets minder spannende truc opvoerde die door de jaren heen steeds mooier werd doorverteld. Misschien wilde de schrijver van de papyrus de truc op zijn beurt ook weer indrukwekkender laten lijken.

Hoe doen ze het toch?
Dedi's onthoofdingstruc
Ganzen steken hun kop onder hun vleugel als ze gaan slapen en je kunt ze leren om dit op commando te doen. Misschien deed Dedi alleen maar alsof hij de kop van de gans afsneed en gaf hij de gans op hetzelfde moment het commando om zijn kop te verbergen.

Tegelijk kan hij een bijzonder realistisch uitziende nepkop, compleet met nepbloed, te voorschijn hebben gehaald om aan het publiek te laten zien. Daarna deed hij misschien net alsof hij de kop er weer op 'plakte', terwijl hij de gans het bevel gaf om zijn kop op te steken, en de nepkop snel weg-moffelde.

LIJKT ÉCHT NIET OP MIJ!

Ongeveer in dezelfde tijd als Dedi gebruikten ook anderen goocheltrucs om zichzelf machtig te laten lijken. Priesters en religieuze leiders in Egypte beweerden dat ze speciale krach-ten hadden. Ze lieten beeldjes van goden 'praten' en lieten tempeldeuren zomaar vanzelf opengaan en zeiden dan dat de goden al die dingen lieten gebeuren. Dat was natuurlijk niet zo, maar heel wat mensen geloofden er toch in.

KUN JE ECHT PRATEN?

JA, ZEKER!

Na Dedi werden overal in de antieke wereld verhalen verteld over illusionisten met ongelooflijke 'bijzondere krachten':

1. In de eerste eeuw na Chr. liet een goochelaar, Apollonius, in Turkije het huwelijksbanket van de edelman Menipus verdwijnen. En volgens de verhalen liet hij ook de gasten nog verdwijnen.

2. Ongeveer in dezelfde tijd liep een artiest, Iamblichus genaamd, in het Midden-Oosten door de lucht, waarbij hij zijn kleren ook nog van kleur liet veranderen.

3. Ergens in de negende eeuw goochelde een zekere Zedekiah een complete tuin, met bloemen, bomen en al, uit het niets te voorschijn. Hij hakte ook nog een man doormidden en maakte hem toen weer heel. En alsof dat allemaal nog niet mooi genoeg was, slikte hij ook nog een gladiator te paard, een hooiwagen, de bestuurder van de hooiwagen en alle bijbehorende trekpaarden in. Da's nog 's een truc!

Het is best mogelijk dat deze antieke illusionisten technieken gebruikten die door de eeuwen heen verloren zijn gegaan en dat die ooit opnieuw worden ontdekt. Maar van een bepaalde antieke truc weten we wél hoe hij werd uitgevoerd, omdat hij nu nog steeds wordt gedaan. Het is een truc die ongeveer 6000 jaar geleden ontstond...

Als bij toverslag deed ineens iedereen de truc met de bekers. Oké, misschien was niet echt iedereen in de antieke wereld ermee bezig, maar deze truc werd in die tijd wel op heel veel plekken uitgevoerd.

De vroegste bekervoorstelling waar we iets over weten, staat afgebeeld op de muur van een Egyptische grafkamer in Beni Hassan. Volgens deskundigen is die schildering meer dan 4000 jaar geleden gemaakt.

Maar de truc bleef nog duizenden jaren populair – de Romeinse staatsman Seneca schreef erover in de eerste eeuw en de Griekse schrijver Alkifron deed dat in de zesde eeuw. De meeste kenners van de goochelgeschiedenis beschouwen het bekerspel als de oudste en beste truc uit de trukendoos.

De bekerwinnaar

Het hele idee achter de bekertruc is dat je drie bekers en drie balletjes neemt. Je stopt de balletjes onder de bekers, dan verplaats je de bekers en laat je het publiek raden waar de balletjes zijn. En natuurlijk zitten de balletjes niet waar de mensen denken dat ze zitten, behalve als er een slechte goochelaar aan het werk is. Soms zitten alle drie de balletjes ineens in één beker, soms zitten er twee balletjes in een beker, zit er eentje in een andere beker en is er een beker leeg. Soms zijn alle drie de balletjes zomaar verdwenen en duiken ze weer op in de jaszak van de goochelaar!

Je kunt vast niet wachten om te ontdekken hoe deze truc werkt. Nou, goed dan, we zullen je niet langer in spanning houden... Hier is de wonderbaarlijke, mirakelse Machtige Miraculo...

Dus jij wilt weten hoe de bekertruc werkt, hè? Oké. Voor je begint, heb je drie bekers en vier – ja zeker, vier – ballen nodig. De ballen kunnen desnoods propjes papier zijn. Klunzini, de bekers alsjeblieft!

Eerst duw je een van de ballen stevig vast in een van de
bekers. Daarna stapel je alle
bekers op. Zorg er wel voor
dat de beker met de bal erin
midden in de stapel komt.

Nu ben je klaar om te beginnen.

Leg de drie ballen voor je
neer en zet de bekers
snel en soepeltjes op
tafel alsof je nooit iets
anders doet. Zorg dat je
de opening van de beker
met de bal erin een
beetje naar je toe houdt
als je hem neerzet, zodat
niemand de bal ziet.

Pak nu een van de balletjes en leg die boven op de middelste beker, die waar al een bal onder zit.

Pak de andere twee bekers en stapel die boven op de middelste beker.

Spreek de toverspreuk 'Abracahocuspresto!' uit en til de stapel bekers op. Ongelooflijk genoeg lijkt het net of de bal dwars door de beker heen op tafel gevallen is. Ook al is het de alleroudste truc, jouw publiek zal versteld staan.

Dit is een van de simpelste varianten van de bekertruc. Als je ingewikkelder versies wilt opvoeren, waarbij een balletje in je mond belandt, of misschien achter je oor, moet je eerst weten wat vingervlugheid is. Dat is een enorm belangrijke vaardigheid bij het goochelen, dus we kunnen je daar maar beter meteen alles over vertellen…

De kneepjes van het vak – Vingervlugheid

Vingervlugheid wil zeggen dat je je handen op zo'n manier gebruikt dat het publiek denkt dat je het ene doet, terwijl je eigenlijk iets anders doet. Een bekend voorbeeld van vingervlugheid is de verdwijntruc met het balletje. Hierbij lijkt het alsof de goochelaar iets van zijn ene hand naar zijn andere verplaatst, terwijl hij het stiekem toch in de eerste hand houdt. In dit voorbeeld gebruiken we een knikker.

JE HOUDT DE KNIKKER VAST TUSSEN DUIM EN WIJSVINGER VAN JE ENE HAND, PRECIES ZOALS JE OP DE TEKENING KUNT ZIEN.

DAN BEWEEG JE DE DUIM VAN JE ANDERE HAND (HAND 2) ONDER DE KNIKKER DOOR EN JE ANDERE VIER VINGERS ER BOVENLANGS.

DE DUIM EN DE VINGERS VAN HAND 2 SLUITEN ZICH OM DE KNIKKER EN DOEN NET ALSOF ZE DIE VASTPAKKEN. LAAT DE KNIKKER IN DE PALM VAN HAND 1 VALLEN.

HAND 2 BEWEEGT OPZIJ MET GESLOTEN VUIST, OM DE INDRUK TE WEKKEN DAT DE KNIKKER ERIN ZIT.

JE DOET HAND 2 OPEN OM TE LATEN ZIEN DAT DE KNIKKER 'VERDWENEN' IS. TERWIJL DIE EIGENLIJK IN HAND 1 ZIT.

KNIKKER

Deze verdwijntruc is een elementaire vingervlugheidstruc. Andere technieken draaien ook om razendsnelle bewegingen van je handen. Je hebt deze vaardigheid nodig voor heel veel trucs uit dit boek, van kaartkunstjes tot verdwijnende munten. Dus oefen maar flink tot je dit kneepje in de vingers hebt!

Het bekerspel raakte zo onlosmakelijk verbonden met de goochelkunst dat het woord voor goochelaar er op veel plaatsen zelfs van was afgeleid:

- Het oude Romeinse woord voor goochelaar was *acetabularius*, afkomstig van het Latijnse woord voor wijnbeker of bokaal.
- In het oude Griekenland gebruikten ze het woord *psefopaikteo*, afkomstig van het Griekse woord voor kiezelsteentjes en hun bewegingen onder de bekers.
- In Frankrijk werden goochelaars ooit *escamoteurs* genoemd, wat was afgeleid van het Franse woord voor de balletjes die bij de bekertruc gebruikt werden.
- Het Nederlandse woord *goochelaar* heeft niets met balletjes en bekers te maken. Het komt van het Latijnse woord *ioculator*, en dat betekent grappenmaker!

In het volgende hoofdstuk zul je zien dat, hoe ze ook genoemd werden, goochelaars geleidelijk aan de populairste en meteen ook de minst populaire mensen ter wereld werden...

GOOCHELEN WORDT GROOT

Tot de veertiende eeuw vonden de mensen in Europa het goochelen niet echt bijzonder. Maar toen begon in Italië de Renaissance en de Europeanen kregen belangstelling voor nieuwe ideeën en nieuwe manieren van denken. Ze wilden dingen zien die ze nog nooit eerder gezien hadden, zoals goochelkunstjes.

In de twee eeuwen daarna begonnen overal in Europa goochelaars op te treden en ze werden razend populair.

Wonderbaarlijk weetje
Tijdens de Renaissance voerden goochelaars vooral trucs met ballen en munten uit en werden ze vaak jongleurs genoemd.

Klinkt allemaal leuk en aardig, maar de werkelijkheid was anders. In die tijd waren koningen, koninginnen en kerkelijke leiders namelijk enorm machtig. En dié hielden helemaal niet van mensen met schijnbaar vreemde, wonderlijke krachten. Dat was een bedreiging voor hun eigen macht.

Goochelaars werden door de machthebbers vaak beschuldigd van hekserij. Dan werden ze gearresteerd, berecht en vervolgens opgehangen, verbrand of verdronken. En als ze eenmaal beschuldigd waren, was hun eind in zicht. Alles wat ze zeiden werd verdraaid, zodat het net leek alsof ze toegaven dat ze heksen waren. De ondervragers goochelden met de woorden van de goochelaars!

Perkament nr. 4.1

In te vullen door personen met magische krachten.

Bent u een heks?

1. Kunt u magische kunsten uitvoeren?

Ja, maar dat komt omdat ik goochelaar ben.

Bijna zeker een heks!

2. Als u **vraag 1** met ja hebt beantwoord, waar hebt u die magische krachten dan vandaan?

Ik heb mezelf leren goochelen omdat ik goochelaar ben, zoals ik al zei. Ik amuseer de mensen met goochel-trucs. Dat is mijn werk.

Bijzonder heksachtig!

3. Kunt u de kop van een gans afhakken en hem dan weer tot leven wekken?

Nee, maar ik heb wel eens gehoord over iemand die het wel kon.

Is bevriend met heksen, 99% zeker zelf ook een heks.

4. Bent u een heks?

Nee.

Alleen een heks zou liegen dat hij geen heks was.

5. Bent u geen heks?

Ja, eh... wacht even, nee. Nee, wacht, ik bedoel ja.

Uitgemaakte zaak. Hij weet niet zeker dat hij geen heks is. Absoluut een heks!

De goochelaars die dapper genoeg waren om door te gaan met optreden, werden vaak halverwege een truc beschuldigd van tovenarij. Dan verdwenen ze meteen – niet op magische wijze, begrijp je wel, maar gewoon zo snel als ze konden – en trokken naar het volgende dorp om te kijken hoe lang het daar goed ging.

OKÉ, OKÉ! IK BEN ALWEER ONDERWEG. IK WAS DIT DORP TOCH AL HELEMAAL ZAT.

Wonderbaarlijk weetje

In de zestiende eeuw liet de goochelaar Triscalinus de ringen van de vingers van de Franse koning Karel IX vliegen en door de lucht zweven. Helaas keerde het publiek zich toen tegen de goochelaar. Ze dwongen hem toe te geven dat hij geholpen werd door duistere krachten. Je kunt op je vingers natellen dat Triscalinus niet blij was om door de koning op zijn vingers getikt te worden!

DIT KAN IK ECHT NIET DOOR DE VINGERS ZIEN!

Eene geweldighe ontdecking

Maar tegen het eind van de zestiende eeuw raakte de rechter Reginald Scot (ca. 1538-1599), die van hekserij beschuldigde goochelaars berechtte, zelf enorm geïnteresseerd in hun magische kunsten. Hij riep de hulp van de populaire artiest van Franse afkomst John Cautares in en schreef een boek dat hij *Ontdecking van Tovery* noemde. (Nee, hij toverde niet met letters. Zo spelden ze nu eenmaal in de zestiende eeuw.) Het boek kwam in 1584 uit in Engeland (en een halve eeuw later pas in Nederland).

Eén hoofdstuk, *De onthulling der jongleerkunst*, ging over de goochel-trucs uit die tijd. Het was het eerste boek waarin trucjes werden uitgelegd. En geloof het of niet, maar veel van die trucs worden nog altijd gebruikt. Hier volgen er een paar:

> 1. het in het niets doen opgaan van een of meer ballen

Met andere woorden: ballen laten verdwijnen. Volgens het boek neem je een paar balletjes in je linkerhand en doe je net of je ze in je rechterhand legt, onder het uitspreken van 'toverspreuken'. Ondertussen laat je de balletjes stiekem op je schoot vallen.

Als je je linkerhand dan opendoet, denkt het publiek dat de balletjes absoluut in je rechterhand zitten en is iedereen geschokt als je je rechterhand ophoudt en ze zien dat die ook leeg is.

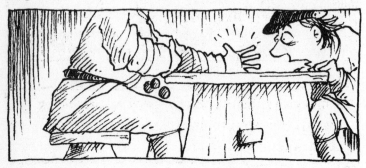

2. het half doorklieven van je neus en die meteen weer genezen zonder speciale hulpmiddelen

Bij deze truc snijd je je halve neus eraf, die daarna weer perfect in orde is. Hiervoor heb je een speciaal mes nodig met een ronde uitsparing in het midden, zodat het alleen maar lijkt alsof je je neus in tweeën snijdt. Om de illusie nog geloofwaardiger te maken, heb je ook nog een gewoon mes nodig, dat je stiekem omruilt met het goochelmes en daarna weer aan het publiek laat zien met flink wat nepbloed erop.

3. met een spreuk een VIER- of zesstuiverstuk uit een pan laten springen of over een tafel laten rollen

Eerst moet je weten dat vier- en zesstuiverstukken munten waren, dus is dit een truc waarbij een munt uit een pan springt en over een tafel rolt. Dat klinkt wonderbaarlijk, tot je leest dat je dit kunt doen door een piepklein gaatje in de munt te maken en er een lange, zwarte vrouwenhaar doorheen te rijgen. (Volgens het boek moet het een vrouwenhaar zijn, maar je kunt ook een haar van een man gebruiken, mits die haar lang genoeg is.)

Het belangrijkste was dat Scot het hoofdstuk beëindigde met de mededeling dat goochelarij niks meer of minder was dan leuk amusement. Onschuldig vermaak dus, en absoluut geen hekserij.

Goochelaars onder vuur

Je zou denken dat het verschijnen van Scots boek goed nieuws was voor goochelaars, omdat de mensen nu konden lezen dat goochelaars alleen maar illusies gebruikten om hun publiek te vermaken.

Jammer genoeg werd Jacobus I in 1603 koning van Engeland. Die moest niets hebben van hekserij en besloot er iets aan te gaan doen. Dus wat deed hij? (Kijk nog eens goed naar het kopje hierboven.)

a) Hij hakte de handen af van iedereen die met Scots boek betrapt werd.

b) Hij smeet Reginald Scot in een kerker en liet hem voor de rest van zijn leven torren eten.

c) Hij liet alle exemplaren van het boek verzamelen en verbranden.

d) Hij kocht de filmrechten van het boek, in de hoop dat iemand tijdens zijn regeerperiode de speelfilm zou uitvinden.

Helaas, het antwoord is **c)**. Maar geen nood, want er is ook…

Goed nieuws

EERDER VANDAAG HEEFT DE KONING BEVOLEN DAT ALLE EXEMPLAREN VAN DAT VRESELIJKE BOEK ONTDECKING VAN TOVERY MOETEN WORDEN VERBRAND.

IEDEREEN DIE IN HET BEZIT IS VAN DIT KWADE GESCHRIFT, MOET HET INLEVEREN BIJ HET BEVOEGDE GEZAG, ZODAT HET ALS BRANDSTOF KAN DIENEN.

WE SCHAKELEN NU OVER NAAR ONZE SPECIALE VERSLAGGEVER WILHELMUS DE GRUYERE, DIE OP DIT MOMENT NET NAAST EEN GROOT KAMPVUUR STAAT...

DANK JE, GIJSBRECHT. ZODRA HET BEVEL VAN DE KONING BEKEND WERD, IS BEGONNEN MET HET INZAMELEN EN VERBRANDEN VAN DE BOEKEN, PRECIES ZOALS ZIJNE MAJESTEIT WENST...

IK KAN JE ECHTER MELDEN, GIJSBRECHT, DAT NIET ALLE EXEMPLAREN VAN HET BOEK ZIJN VERBRAND. SOMMIGE MENSEN TROTSEREN DE KONING EN VERBERGEN HET BOEK...

EERLIJK GEZEGD ZOU IK NIET GRAAG ZO IEMAND ZIJN EN VOOR HET GEVAL DAT ZIJNE MAJESTEIT DENKT DAT IK DAT WEL BEN, WIL IK GRAAG ZEGGEN DAT HET NIET ZO IS. TOT ZOVER WILHELMUS DE GRUYERE VOOR RENAISSANCE TV.

DANK JE, WILHELMUS. EN DAN NU HET OVERIGE NIEUWS. IN ITALIË BEWEERT DE EEN OF ANDERE GEK, GALILEO GALILEÏ GENAAMD, DAT DE WERELD ROND IS...

Gelukkig zijn er tot op de dag van vandaag exemplaren van het boek bewaard gebleven. Ren nou niet meteen naar de boekhandel om er eentje te kopen! Dat wordt echt niks. Originele Engelse exemplaren van het boek zijn zeldzaam en je zou er duizenden euro's voor moeten neertellen. Het is er ook in het Nederlands, maar die vertaling is ook alweer bijna 400 jaar oud. Je moet bijvoorbeeld naar de Koninklijke Bibliotheek in Den Haag om het te bekijken…

Vakman Fawkes

Guy Fawkes (1570-1606) is beroemd in Engeland. Hij heeft zelfs een eigen feestdag, op 5 november. Van *Isaac* Fawkes (1675-1731) heb je waarschijnlijk écht nog nooit gehoord. Ze waren, voor zover we weten, geen familie van elkaar en Isaac heeft nooit geprobeerd om iets op te blazen, zoals Guy wel deed (namelijk het gebouw van de Engelse regering).

Isaac maakte aan het begin van de achttiende eeuw wel een explosieve entree in de wereld van de goochelkunst. Hij was de eerste goochelaar die de goochelkunst een goede naam bezorgde. Ook hij trok van stad naar stad, alleen niet omdat hij steeds werd weggejaagd, maar omdat hij zo'n populaire artiest was. Hij trad overal op, zelfs bij mensen thuis, en geen mens beschuldigde hem van hekserij. Niemand vond het gek als Isaac hen voor de gek hield…

Isaac Fawkes werkte zijn leven lang keihard en voerde vaak wel zes shows per dag op. Een kaartje kostte een shilling (ongeveer zeven eurocent) en hij verdiende bergen geld. Om precies te zijn, had hij bij zijn dood in 1731 omgerekend meer dan 70.000 euro, wat toen een fortuin was. Hij werd de beroemdste goochelaar van zijn tijd en zijn trucs lukten altijd, hoe goed zijn publiek hem ook in de gaten hield.

Zo werd zijn beroemdste illusie, de truc met de zak eieren, in die tijd beschreven:

Hij neemt een lege zak, legt die op tafel en keert hem een paar keer binnenstebuiten. Dan beveelt hij dat er 100 eieren uit moeten komen, plus een regen van goud en zilver. Vervolgens begint de zak op te zwellen en komen er allerlei vogels uit rennen en vliegen…

Tegenwoordig gebruiken goochelaars nog steeds simpele stoffen zakken met een geheime zak erin. Er zijn verschillende soorten verkrijgbaar en topgoochelaars laten ze speciaal op maat maken voor hun eigen handen.

Het kan bijna niet missen dat Fawkes voor zijn truc ook zo'n soort zak gebruikt heeft. Misschien liet hij het publiek de lege zak zien en haalde hij er toen met behulp van wat vingervlugheid en een *afleidingsmanoeuvre* de eieren uit.

De kneepjes van het vak – Afleidingsmanoeuvres

Dit is een uiterst belangrijke goocheltechniek die je in dit boek nog vaak zult tegenkomen. Goochelaars gebruiken afleidingsmanoeuvres om de aandacht van hun publiek af te leiden van wat ze precies aan het doen zijn. Dat kan op allerlei manieren.

1. De aandacht van het publiek naar een ander punt verleggen. Dit wil zeggen dat je zorgt dat het publiek naar een bepaalde plek kijkt, zodat jij op een andere plek iets geheims kunt doen. Dit kun je doen met behulp van:

- je ogen – als jij naar je linkerhand kijkt, gaat het publiek dat ook doen, zodat jij stiekem iets kunt doen met je rechterhand;

ZOUDEN ZE ER IETS VAN MERKEN?

- je handen – als je naar iets wijst, gaat het publiek ernaar kijken;
- geluid – het publiek kijkt in de richting waar het geluid vandaan komt, vooral bij plotselinge geluiden;

- je assistent – als je besluit dat je een assistent bij je optreden gaat gebruiken, kan die de aandacht van het publiek afleiden, terwijl jij iets geheims doet.

2. De aandacht op een bepaald tijdstip afleiden.
Dit wil zeggen dat je het publiek laat denken dat er iets gaat gebeuren dat in feite op een eerder tijdstip al gebeurd is. Als het publiek bijvoorbeeld denkt dat je een munt in je hand gaat laten verschijnen na het uitspreken van een toverspreuk, let iedereen op dat moment op je hand. Wat ze niet weten is dat je die munt misschien allang stiekem in je hand hebt gestopt.

Er zijn nog meer manieren om je publiek af te leiden, maar daar komen we later nog wel op terug.

Na Fawkes werden goochelshows steeds groter en spectaculairder. Het was een magische tijd voor magiërs. Maar wie had ooit gedacht dat dierlijke goochelaars in het middelpunt van de belangstelling zouden komen te staan…

Weet je nog dat Fred Kaps drie keer wereldkampioen goochelen werd? Een andere Nederlander die ooit de beste van de wereld was, is Hans Kazàn (1953-heden). Je hebt hem vast wel eens op de televisie gezien. Hans was nog maar 19 jaar toen hij iedereen verbaasde met zijn slimme trucs. En weet je wat? Hij had er tien jaar voor geoefend! Op zijn negende jaar kreeg hij namelijk een goocheldoos van Sinterklaas. Oscar en Renzo, de zoons van Hans, waren misschien nog wel jonger toen ze hun eerste trucs uitprobeerden. Ze zaten nog op de middelbare school en besloten dat ze in de voetsporen van hun vader wilden treden. Samen met vriendin Mara startten ze in 1996 met Magic Unlimited en reisden de wereld af met hun show vol machtige magie, illusies en swingende muziek. Ze treden tegenwoordig op onder hun eigen namen: 'Oscar, Renzo & Mara'.

VERBLUFFENDE BEESTEN

Goochelaars hebben altijd al dieren gebruikt bij hun optredens – denk maar aan Dedi en zijn ganzen, en de duiven van Brandon. De wereldberoemde show van de Duitse magiërs Siegfried en Roy zat ook vol met alle mogelijke dieren. Maar wist je dat het beroemdste beest uit de goochelgeschiedenis in de zeventiende eeuw zélf trucs opvoerde?

Man en paard

Morocco was een schitterend wit paard, eigendom van de Engelse entertainer Banks (1588-1637). Dit dier 'praatte' door met zijn hoef te stampen. Zijn beroemdste trucs waren het tellen van de ogen op een dobbelsteen, iemand vertellen hoeveel geld hij in zijn zak had en het verklappen van de leeftijd van iemand uit het publiek. (Het zou kunnen dat Banks een geheim commando gebruikte om Morocco na het stampen van het juiste getal op te laten houden.) Morocco kon ook dansen op muziek, waarzeggen en kaarttrucs uitvoeren. Hij was zo slim dat hij, als hij nu leefde, zonder twijfel heel erg rijk zou zijn.

Op het verkeerde paard gewed

In 1608 staken Banks en Morocco het Kanaal over en gingen ze op tournee door Europa. Ze werden enorm beroemd in Frankrijk, maar tijdens een optreden in de stad Orleans werd Banks beschuldigd van het bezitten van een dier dat samenspande met de duivel. Dat kwam eigenlijk op hetzelfde neer als beschuldigd worden van hekserij. Foute boel! Hoe denk je dat het afliep?

a) Het tweetal galoppeerde ervandoor.

b) Ze verschenen in de kerk voor de kerkenraad, waar Morocco voor een heilig kruisbeeld op zijn knieën ging en om genade smeekte.

c) Morocco liet Banks aan zijn lot over en zette zijn carrière solo voort.

d) Banks legde de kerkenraad uit dat het maar een truc was en liet zien hoe hij het deed.

Het antwoord is **b)** en omdat Morocco dat deed, liet de kerkenraad ze allebei gaan. Men wist zeker dat geen enkele duivel in de buurt van een kruisbeeldje zou kunnen komen. Banks en Morocco kwamen er dus genadig vanaf...

Maar misschien galoppeerden ze wel van de regen in de drup. Volgens sommigen gingen ze vanuit Orleans naar Rome, waar ze weer werden beschuldigd van heulen met de duivel, ditmaal door de paus zelf, en levend werden verbrand. De waarheid is dat niemand precies weet wat er van ze geworden is.

Maar misschien zijn ze wel op tijd uit Rome gevlucht en zonder brandgaatjes weer naar huis teruggekeerd.

Bij de wilde konijnen af

Het paard Morocco was dan misschien het beroemdste beest in de goochelgeschiedenis, maar aan welk dier denk je het eerst bij goochelen?

Juist, ja. En wat gebeurt er met dat konijn?

Alweer goed. Maar niemand weet:

a) waar de truc vandaan komt en wie hem als eerste opvoerde;

b) waarom het de allerberoemdste goocheltruc geworden is.

Wel weten we (want daar zijn affiches van) dat de Schot John Henry Anderson (1814-1874) deze truc opvoerde. Maar Anderson stond erom bekend dat hij andere goochelaars nadeed, dus misschien was hij wel niet de eerste die dit kunstje deed. Hoe het ook begon, waarschijnlijk werkte het zo:

Hoe doen ze het toch?
De truc met het konijn uit de hoge hoed

1. *De goochelaar heeft op het podium een tafel staan met een geheim haakje aan de achterzijde. Aan het begin van de truc zit het konijn verborgen in een tasje dat aan het haakje hangt. (Je kunt het tasje niet zien vanwege het tafelkleed.)*

2. *De goochelaar laat het publiek de lege hoed zien. Dan (en nu komt het moeilijke gedeelte) moet hij het konijn in één snelle beweging in de hoed moffelen zonder dat het publiek ziet wat hij doet. Dat doet hij door het publiek af te leiden.*

3. *Als het konijn eenmaal in de hoed zit, kan de goochelaar het te voorschijn halen en zijn publiek versteld doen staan.*

Let er wel op dat je het konijn bij deze truc bij zijn nekvel optilt. Vroeger tilden goochelaars de konijnen aan hun oren op, wat erg pijnlijk is, en dan gaan ze heftig om zich heen schoppen. Helaas vonden goochelaars dat in vroeger tijden juist leuk. Wat een dierenbeulen!

Keurmerk Diervriendelijk Goochelen?

In sommige landen moeten goochelaars hele strikte regels naleven als ze met dieren werken. Soms moeten ze zelfs voor ieder optreden met een dier een vergunning aanvragen. Vind je dat een beetje over- dreven?

Nou, Nederland is weer het andere uiterste, want hier is gek genoeg helemaal niets wettelijk geregeld. Niet over dieren tenminste. Je moet wel een vergunning aanvragen voor ieder openbaar optreden, maar als je je konijn tóch aan zijn oortjes uit een hoge hoed trekt, dan gebeurt er helemaal niets. De gemeente kan alleen een optreden weigeren als het volgens hen niet veilig is voor het publiek, dus als je bijvoorbeeld een tijger wilt gebruiken in plaats van zo'n lief konijn. Er wordt wel gekeken naar het welzijn van het publiek, maar niet naar dat van de dieren…

Wellicht gaat dat in de toekomst veranderen. Organisaties zoals de Dierenbescherming willen namelijk dat optredens met dieren verboden worden. Ze vinden dat dieren niet gebruikt mogen worden voor het vermaak van mensen. Misschien moet je Flappie dus toch maar lekker in zijn hok laten zitten en voor je goocheltrucs een speelgoedkonijn gebruiken…

Een hondenleven

In het begin van de twintigste eeuw werden regelmatig dieren gebruikt in goochelshows. Een van de beroemdste was Beauty, een bastaardhond die de Duitse goochelaar Sigmund Neuberger (1872-1911) had gekregen van de legendarische boeienkoning Houdini. (Meer over Houdini volgt verderop in dit boek.)

Neuberger gebruikte een artiestennaam: Lafayette. Hij was een spectaculaire entertainer die verschillende dieren bij zijn toverachtige trucs gebruikte, waaronder dus Beauty. In een van zijn nummers deed Lafayette of hij Beauty in een monster veranderde. Daarna viel dit 'monster' de goochelaar aan en leek ze zijn hoofd eraf te hakken.

Op de een of andere ongelooflijke manier stond Lafayettes hoofd een paar tellen later alweer op zijn nek en was Beauty weer terugveranderd in een gewone hond. Het geheim achter deze truc blijft een mysterie. En het publiek vond het prachtig, ook al dacht men dat Lafayette stapelgek was.

Het leven dat Lafayette en Beauty leidden, was al net zo extreem als hun optredens. Het tweetal was onafscheidelijk. En Lafayette behandelde Beauty verre van honds. Kijk maar naar de tekening hierboven.

ALS ZE MET DE TREIN NAAR EEN VOLGEND OPTREDEN REISDEN, KREEG BEAUTY VANZELFSPREKEND HAAR EIGEN COUPÉ.

BEAUTY HAD EEN HALSBAND VAN LEER EN ZILVER, MET DAAROP DE NAMEN VAN ALLE PEPERDURE HOTELS WAAR ZE HAD GELOGEERD. EN NEEM MAAR AAN DAT HET EEN FLINKE VERZAMELING WAS!

Helaas eindigt het verhaal van Beauty en Lafayette treurig. Op 4 mei 1911 ging Beauty dood. Lafayette was er helemaal kapot van en zei:

NU BEN IK MIJN LIEFSTE VRIENDIN KWIJT. BEAUTY BRACHT ME GELUK EN IK DENK — NEE, IK WEET — DAT IK NIET VEEL LANGER IN DEZE WERELD ZAL BLIJVEN RONDLOPEN.

Griezelig genoeg kwam deze voorspelling uit. Vijf dagen later vloog een lantaarn op het podium in brand, terwijl Lafayette net een buiging maakte na zijn voorstelling. Het vuur greep razendsnel om zich heen.

Die avond stierven in totaal negen mensen, plus nog een leeuw en een paard. Lafayettes lichaam werd teruggevonden in de kelder van het theater. Hij werd samen met Beauty begraven op de begraafplaats Piershill in Edinburgh (die nu nog steeds bestaat).

Hij had vast niets liever gewild dan om zo zijn laatste rustplaats te krijgen.

Dieren in de 21^e eeuw

Tegenwoordig gebruiken goochelaars zo'n beetje alle dieren die je maar kunt bedenken in hun voorstellingen. Sommige illusionisten, zoals de Amerikaan Lance Burton (1960-heden), zijn beroemd om hun kunsten met een bepaald dier. Lance laat zijn publiek al sinds 1980 versteld staan met een verbluffend knappe show, waarbij hij ontelbaar veel duiven te voorschijn tovert en weer laat verdwijnen.

Op het toneel een vogel te voorschijn toveren is niet moeilijker dan een bal, sjaal of wat dan ook uit het 'niets' plukken, maar het uiteindelijke resultaat – een echt, levend dier dat zijn vleugels uitslaat en de lucht in vliegt – is wel veel spectaculairder.

Hoe doen ze het toch?
Vogels te voorschijn toveren

Als je op het toneel vogels wilt laten verschijnen, is het grootste probleem natuurlijk dat de vogel zich gedeisd moet houden. Vogels houden zich van nature stil in het donker. Goochelaars gebruiken soms een speciaal tuigje met klittenband. Meestal is dat een koker van stof met aan een kant een lusje eraan. De vogel wordt in de koker gestopt, waarbij zijn koppie uit de ene opening steekt en zijn staart uit de andere.

__1.__ Vlak voor de show begint, verstopt de goochelaar de vogel in een van zijn zakken.

__2.__ Tijdens het optreden laat hij stiekem een vinger in het lusje glijden, tilt de ingepakte vogel zo op en moffelt *hem in een zakdoek of waar hij hem ook uit wil goochelen. (De stof waar de koker van gemaakt is, moet dezelfde kleur hebben als de zakdoek.)*

3. *De goochelaar laat het publiek de zakdoek zien en wappert er in één beweging mee omlaag en weer omhoog. Bij de beweging naar boven laat hij de vogel uit de zakdoek ontsnappen.*

4. *In werkelijkheid heeft de goochelaar tijdens de neerwaartse beweging met één vinger in het lusje de koker losgemaakt, zodat hij de vogel tijdens de opwaartse beweging kon vrijlaten. De truc is om deze beweging heel soepel te laten lijken.*

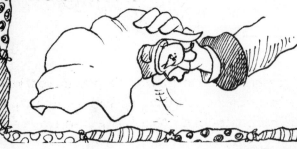

Beestenwerk en dierenmanieren

Optreden met dieren kan lastig zijn, en niet alleen omdat dieren niet ingewikkeld doen over waar ze naar de wc gaan.

In de jaren zestig en zeventig van de vorige eeuw deed de goochelaar Harry Blackstone jr. (1934-1997) een verdwijntruc met een kameel. Hij stopte een kameel in een tent, die hij daarna afbrak om te laten zien dat de kameel verdwenen was. Maar op een keer stak het beest zijn kop achter een vals achtergronddoek vandaan, zodat het optreden mooi verpest was. Het publiek lachte zich natuurlijk een bult...

De eerste goochelaar die chimpansees in zijn nummer gebruikte was Owen Clark, die een truc deed waarin een chimp uit een kist ontsnapte.

Helaas moest hij een keer een optreden staken omdat chimpansee Betty weigerde te voorschijn te komen. Nu stond Clark zelf mooi voor aap!

De Duitse goochelaars Siegfried en Roy sleepten tot voor kort zowat een hele dierentuin mee het podium op. Hun show verbijsterde het publiek in de Amerikaanse stad Las Vegas meer dan 30 jaar lang. Het was een beest van een voorstelling met olifanten, leeuwen, tijgers, krokodillen, luipaarden, panters, arenden, flamingo's en zelfs een vuurspugend metalen monster. Ze lieten de dieren uit het niets verschijnen, weer verdwijnen en zelfs krimpen.

Natuurlijk waren al hun dieren speciaal getraind om rustig te blijven op het podium en niet te schrikken van de felle lichten, het lawaai en alle mensen die naar hen keken (wat waarschijnlijk nog het griezeligst was). Maar hun show bleef hoe dan ook een levensgevaarlijke bedoening...

Tijdens een optreden beet een leeuw Siegfried ooit in zijn hand en zijn arm. De arm werd gehecht en verbonden, maar de twee goochelaars hadden voor die avond nog een optreden staan en zoals iedereen weet: *the show must go on*. Midden in dat tweede optreden scheurden Siegfrieds hechtingen en gutste het bloed uit zijn arm.

Gelukkig trok het meeste bloed in zijn kostuum en het verband en kon hij de voorstelling afmaken. Na de show zei Roy dat de arm eruitzag als 'een klomp bloederig, rauw vlees'. Bwèh!

En als klap op de vuurpijl werd Roy in 2003 door een bijna 300 kilo zware tijger in zijn nek gebeten, wat hij bijna niet overleefde... Hun vaste show in Las Vegas is toen ook voor onbepaalde tijd afgelast.

Voor het geval je na deze verhalen geen trek meer hebt om ooit nog met dieren te werken, laat de Machtige Miraculo nu een truc zien die maar een beestje, eh... beetje met dieren te maken heeft en waar je vrienden met hun beestenverstand gegarandeerd niet bij kunnen...

Ha, hallo, goedendag! Ik ben blij dat je er nog bent. Voor dit nummer hebt je een schrijfblok nodig, een pen, een envelop en iets om papiertjes in te doen – een doos, hoed of mand, kan allemaal. M'n beste Klunzini, geef me maar snel even iets om papiertjes in te doen!

Vraag je publiek nu om de namen te roepen van alle dieren die ze leuk vinden, van leguanen tot neushoorns.

Terwijl de mensen in de zaal de namen roepen, doe je net of je ze allemaal opschrijft op aparte vellen papier. Maar wat je eigenlijk doet, is alleen de naam van het eerste dier dat werd geroepen opschrijven. Schrijf die op alle blaadjes papier.

Als er 12 dieren zijn opgesomd, vouw je alle velletjes papier op en stop je die in de mand. Nu zitten er dus 12 papiertjes met de naam van hetzelfde dier erop in de mand. Maar het publiek denkt dat er 12 verschillende dierennamen op de papiertjes staan.

50

Nu kondig je aan dat je gaat voorspellen welk dier door iemand uit het publiek uit de mand getrokken gaat worden. Je concentreert je heel hard en dan schrijf je hetzelfde dier als daarnet op een blanco vel papier.

Je doet het papier in een envelop, plakt die dicht en geeft hem in bewaring bij iemand in het publiek.

Vraag nu iemand anders uit het publiek om een papiertje uit de mand te trekken, het open te vouwen en het dier dat erop staat te noemen.

TIJGER

Vraag nu de persoon met de envelop om die open te scheuren en voor te lezen wat er op het papier dat erin zit staat. Het publiek zal zijn oren niet geloven als het precies hetzelfde dier is.

TIJGER

Ach ja, ik weet nog goed dat ik dit nummer in Las Vegas opvoerde. Het publiek bleef maar juichen.

Goochelen met dieren dus. Maar nu wordt het hoog tijd dat we als een haas verder gaan met de rest van het boek…

O nee, nog even dit! Ook in Nederland kennen we een illusionist die spectaculaire trucs uithaalt met dieren: Hans Klok (1969-heden). Hans treedt overal ter wereld op. In 1997 werd de illusionist gevraagd om op te treden in Duitsland. Er was een 'Groene Week' in Berlijn, en de Nederlandse minister van landbouw ging er een praatje houden. Nou, Hans wist wel een manier om het publiek in de zaal te houden. Hij liet voor een stomverbaasd publiek een boer met een levende koe aan een touw achter zich aan zomaar in de lucht verdwijnen. Iedereen hield zijn adem in, inclusief de Nederlandse minister: waar waren de twee gebleven? Hans voerde een aantal magische gebaren uit en de spanning steeg… En tádá! Aan de andere kant van de zaal kwam de boer met zijn koe uit het niets te voorschijn.

CURIEUZE KAARTEN

In Engeland benaderde een jonge amateur-goochelaar in de jaren dertig van de vorige eeuw eens de geweldige David Devant (1868-1941)* met het sterke verhaal dat hij wel 300 kaarttrucs kende. Hij wilde weten hoeveel trucs Devant kende. Wat denk je dat hij zei? Was het antwoord:

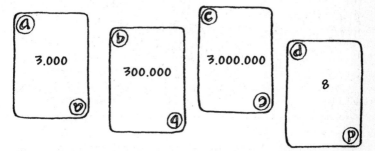

Het antwoord was **d)**, 8 dus, en dit is een cruciaal weetje voor iedereen die belangstelling heeft voor kaarttrucs. Je kunt met kaarten maar een beperkt aantal trucs uithalen. Het gaat erom hoe je ze uitvoert. Je moet snelle handen hebben en snelle hersens. Bovendien heb je ook nog snelle voeten nodig als alles misgaat en je er snel vandoor moet.

Een pak kaarten is een van de belangrijkste attributen van een goochelaar. Met 52 kaarten plus twee jokers zijn de mogelijkheden voor ongrijpbare trucs immers enorm.

* Goochelaars, tovenaars, illusionisten: het geeft niet hoe je ze noemt, maar het zijn soms rare snuiters. Soms gebruiken ze een artiestennaam, zoals David Devant, die eigenlijk David Wighton heette. Of ze doen, net als veel volwassenen, super geheimzinnig over hun leeftijd. En van een aantal van die snoeshanen weten we nog minder, alleen maar dat ze ooit geleefd hebben.

De geschiedenis van het kaartspel

Speelkaarten bestaan al eeuwen en het zal niemand verbazen dat de Chinezen het eerste spel kaarten maakten. Ze waren ook de uitvinders van het papier. Pas in de veertiende eeuw kwamen de eerste speelkaarten naar Europa, waarschijnlijk dankzij de kruisvaarders.

In die tijd was de maatschappij opgedeeld in grofweg vier klassen: de kerk, het leger, kooplieden en boeren. Op de eerste kaarten zag je die onderverdeling van de bevolking terug:

bekers
= de kerk

zwaarden =
het leger

vijf-
puntige
ster = de
kooplieden

stokken =
de boeren

Maar die ouderwetse speelkaarten waren niet zo geschikt voor goocheltrucs, want…

1. Ze werden gedrukt op heel dik papier en lagen niet echt lekker in de hand.

2. Ze waren nogal groot.

3. Ze waren peperduur. De enige mensen die ooit pakken speelkaarten in handen kregen, waren mensen met dikke pakken geld.

Vanaf de zestiende eeuw, toen de drukkosten lager werden, kwamen er kleinere en goedkopere speelkaarten in de handel. De moderne 'kleuren' die we nu nog steeds gebruiken verschenen – rode harten en ruiten, zwarte klaveren en schoppen. Goochelaars waren dolblij met de nieuwe kaarten, want die pasten nu makkelijk in hun hand.

De sensationele Soma
Rond deze tijd was een Italiaan, ene Girolamo Cardano

(1501-1576), getuige van de ongelooflijke kunsten van een jonge, onbekende kaartgoochelaar die Francesco Soma heette. Hij beschreef een truc waarbij Soma een pak kaarten op de kop uitspreidde. Iemand uit het publiek trok een kaart en verstopte die. Soma schudde de kaarten en verklaarde, zonder te kijken, welke kaart er ontbrak. Toen liet hij de kaart weer tussen de andere stoppen en vroeg hij verscheidene mensen een kaart uit te kiezen en hem weer terug te stoppen. Iedereen pakte de kaart die de eerste keer ook was uitgekozen. Cardano kon maar niet begrijpen hoe Soma's trucjes werkten (en Soma liet zich niet in de kaart kijken).

De kneepjes van het vak – een handlanger

Soms kiezen goochelaars iemand uit het publiek om te helpen bij een kaarttruc. Ze kiezen vaak niet zomaar iemand. Zonder dat de rest van het publiek het doorheeft, kan de 'vrijwilliger' gewoon bij de voorstelling horen en de goochelaar stiekem helpen bij zijn truc. Doorgestoken kaart dus!

Kaarttrucs troef

In de daaropvolgende eeuwen verspreidde de belangstelling voor kaarttrucs zich door Europa. De beste goochelaars konden grote theaters afhuren en entree heffen voor het bekijken van hun kaartkunsten. En de trucs werden steeds wonderbaarlijker. In de achttiende eeuw gebeurde onder andere het volgende:

- Op een affiche voor de voorstelling van Isaac Fawkes (ken je hem nog?) werd opgeschept dat hij een pak kaarten hoog in de lucht zou gooien, waarna het zou veranderen in een zwerm levende vogels.

- De Engelse goochelaar Ingleby vroeg een man in de zaal om een pak kaarten in zijn hand te houden en aan één bepaalde kaart te denken. Toen de man een kaart in gedachten had genomen, vroeg Ingleby hem om het hele pak kaarten naar hem toe te gooien. De kaarten vlogen op hem af en Ingleby ving er eentje met zijn mond. Tot grote verbijstering van de hele zaal was dit de kaart die de man had uitgekozen.

- De Italiaanse goochelgrootmeester Giovanni Pinetti vroeg tijdens een voorstelling iemand om een kaart te kiezen, die weer tussen de andere te stoppen en de kaarten dan te schudden. Toen trok hij een pistool en vuurde in de lucht. De kogel suisde over het podium en boorde zich in de muur van het theater. Onvoorstelbaar genoeg zat de kaart die de toeschouwer had uitgekozen tegen de muur geplakt; de kogel was er dwars doorheen gegaan. Sommige mensen beweerden dat Pinetti een speciale set kaarten gebruikte met allemaal identieke kaarten, maar dat verklaarde het schietgedeelte van de truc nog niet.

Pinetti werd behoorlijk beroemd met zijn trucs en trad zelfs een keer op aan het hof van Marie-Antoinette en Lodewijk XVI in Frankrijk.

Maar hoe worden al deze briljante trucs eigenlijk uitgevoerd? Als er iets is wat alle kaartvirtuozen gemeen hebben, is het een grote bereidheid om veel te oefenen, plus het aanleren van een verzameling werkelijk geniale handige handbewegingen.

Voor we naar een paar bijzonder bekende goochelnummers gaan kijken, werpen we eerst even een blik op een paar van zulke o zo belangrijke kaartvaardigheden...

De kneepjes van het vak

Opdringen – zorgen dat iemand een bepaalde kaart kiest, terwijl die persoon denkt dat hij hem zelf uitzoekt. Dat kan heel simpel door een kaart ietsje verder te laten uitsteken dan de andere. Probeer het maar eens uit!

Verbergen – een kaart in een van je handen verborgen houden zonder dat het publiek het merkt. Dit kan lastig worden als je erg kleine handen hebt! Als je heel goed naar sommige goochelaars op tv kijkt, kun je zien dat ze tijdens of op het eind van een truc een hand dichtgeklemd houden. Daar zitten dan een of meer kaarten in.

Verplaatsen – een kaart naar een andere plek in het spel verplaatsen, zonder dat het publiek het ziet. Bijvoorbeeld hem vanuit het midden bovenop leggen.

Zwierige gebaren – dit zijn bewegingen waarvan je wilt dat het publiek ze ziet. Soms voor de show, maar soms om de aandacht van het publiek af te leiden van iets anders dat je doet. Je kunt bijvoorbeeld met één hand een pak kaarten uitspreiden, terwijl je in je andere hand stiekem een kaart verstopt. Dit is een klassiek staaltje van afleiding.

Merktekens – voor of tijdens de voorstelling stiekem een merkteken op een kaart aanbrengen, zodat je die makkelijk terug kunt vinden. Een zwart stipje of een omgeknikt hoekje kan al genoeg zijn.

Nep-schudden – net doen alsof je een set kaarten schudt, terwijl je een of meer kaarten op dezelfde plek laat zitten. Als je een pak kaarten heel snel op en neer laat bewegen, lijkt het alsof je schudt, terwijl er geen kaart van zijn plek is gekomen!

Legendarische kaarttrucs

Je hebt in onze kaarten mogen kijken en zo weer een paar kneepjes van het vak geleerd. Dus wordt het tijd om eens te kijken naar een paar van de beste kaarttrucs aller tijden en de goochelaars die ze hebben uitgevonden...

1. De truc met de azen

Nate Leipzig (1873-1939) was een van de grootste kaartkunstenaars aller tijden. Hij werd heel erg beroemd in de Verenigde Staten. In een van zijn trucs vroeg hij vier mensen uit het publiek om de vier azen op verschillende plekken in de stapel kaarten te steken. Toen hij daarna de vier bovenste kaarten van de stapel pakte, waren dat de vier azen. Ze waren op wonderbaarlijke wijze bovenop komen te liggen.

In Leipzigs meest spectaculaire truc werden twee getrokken kaarten weer in de stapel gestopt, die daarna geschud werd. Leipzig verpakte de hele stapel daarna met veel gevoel voor drama in krantenpapier. Met een mes in zijn ene hand en het pak kaarten in de andere stak hij door het papier heen in de zijkant van de stapel. En toen het papier werd weggehaald, bleek het mes tussen de twee getrokken kaarten te zitten. Misschien heeft Leipzig vals gespeeld bij het schudden, maar niemand kan dat met zekerheid zeggen.

2. De truc met de zwevende kaarten

Eind negentiende eeuw begon Howard Thurston (1869-1936) op te treden met zijn zwevende kaarten. Een aantal van tevoren uitgekozen kaarten leken vanuit de stapel op tafel omhoog te zweven naar Thurstons hand. Volgens sommige toeschouwers moest Thurston wel draadjes gebruiken, maar niemand heeft die ooit zien zitten.

3. De truc met de drie kaarten

Dit is een klassieker, waarbij een goochelaar het publiek drie kaarten laat zien – vaak twee zwarte kaarten plus een rode dame. De goochelaar legt de dame voor iedereen zichtbaar tussen de twee andere kaarten en draait de kaarten dan om. Mensen uit de zaal mogen gokken waar de dame zit. Meestal zitten ze ernaast, want goochelaars laten de dame met wat vingervlugheid verdwijnen. De gokkers zijn hun geld kwijt en de goochelaar is weer wat rijker.

U MOET HIER WEG, MENEER, MAAR EERST ZET IK NOG VIJF EURO OP DEZE KAART. DAT IS ZEKER DE DAME!

HUH?

4. De truc met de zes kaarten

Begin twintigste eeuw vond de Britse goochelaar Ellis Stanyon de wonderbaarlijke herhaaltruc met zes kaarten uit. Hij werd zelf niet erg beroemd met dit nummer, maar de Amerikaan Tommy Tucker wel. Bij deze truc houdt de goochelaar zes kaarten op. Drie daarvan worden weggegooid. De overgebleven kaarten worden geteld en wat blijkt? Het zijn er zes. Het ligt er natuurlijk vrij dik bovenop dat de goochelaar bij deze truc drie extra kaarten ergens verborgen houdt zodat het publiek ze niet kan zien.

5. De spelregisseur

Een van de grootste goochelgebeurtenissen van de twintigste eeuw was een truc van kaartvirtuoos Lionel King. Hij koos vier mensen uit de zaal en zette die rond een kaarttafel. Hij verbrak het zegel van een gloednieuw pak kaarten en deelde de kaarten voor een spelletje klaverjassen. Vervolgens ging King achter in de zaal zitten, vanwaar hij de spelers instructies toeriep. Hij kon de kaarten met geen mogelijkheid zien, maar toch regisseerde hij het hele spelletje alsof hij hen alle vier in de kaart kon kijken.

63

Veel toeschouwers wisten zeker dat een van de spelers met King onder één hoedje speelde, maar dat is nooit bewezen.

6. De truc van Green

Op een avond ergens midden in de Tweede Wereldoorlog kreeg de Britse minister-president Winston Churchill de koude rillingen van een knap staaltje goochelkunst. De goochelaar, een zekere Harry Green, liet Churchill de volgende truc zien.

Green pakte een rode en een zwarte kaart en legde die open en bloot een paar centimeter van elkaar af. Toen gaf hij Churchill de rest van de kaarten en verzocht hem om die blind, dus ondersteboven, boven op de rode of de zwarte kaart te leggen, zodat er een stapel rode en een stapel zwarte kaarten op tafel kwamen te liggen.

Churchill mocht niet naar de kaarten kijken. Hij moest op zijn gevoel afgaan of hij een rode of een zwarte kaart in zijn vingers had. Churchill deed wat hem gevraagd werd.

Toen hij de vijftigste kaart had neergelegd, pakte Green de stapels triomfantelijk op en liet zien dat alle rode kaarten in de rode stapel zaten, en alle zwarte kaarten in de zwarte stapel. Churchill wilde weten hoe de truc werkte en eiste dat Green hem steeds overdeed, tot diep in de nacht.

Een theorie om deze fantastische truc te verklaren was dat

Green twee stapels kaarten achterhield – een rode en een zwarte. Toen hij de stapeltjes die Churchill had neergelegd oppakte, ruilde hij ze in voor de kant-en-klare stapeltjes die hij achter de hand hield.

De bliksemsnelle Blaine

Het repertoire van de straatgoochelaar David Blaine (1973-heden) bevat twee uitzonderlijk knappe kaarttrucjes.

In een daarvan vraagt hij iemand uit het publiek om een kaart te kiezen. Blaine kijkt de andere kant op en vraagt de trekker van de kaart om die voor de tv-camera te houden. Dan verzoekt Blaine hem de kaart weer in de stapel terug te doen. Meteen daarna smijt de illusionist het pak kaarten tegen een etalageruit. Alle kaarten vallen op de grond, behalve eentje. Je raadt het al: dat is de eerder getrokken kaart. Die zit tegen het glas geplakt. En alsof dat nog niet verbluffend genoeg is, zit die kaart niet aan de buitenkant tegen de ruit geplakt, maar aan de binnenkant!

Bij een andere truc van Blaine wordt iemand gevraagd om een kaart te kiezen en die weer terug in de stapel te stoppen. Vervolgens zegt Blain dat de kaart onder de voet van die persoon zit. Die kijkt onder zijn schoen, waar niets te zien is. Dus zegt Blaine dat hij zijn schoen uit moet trekken. En ja hoor, de kaart zit in zijn schoen!

Blaine laat zich nooit in de kaart kijken en onthult nooit een geheim, maar volgens veel mensen moet hij wel handlangers gebruiken om zijn briljante illusies tot stand te brengen.

Krijg je van al deze kaarttrucs zin om zelf een kaartje te leggen? Oké dan. De Machtige Miraculo staat al klaar met een trucje uit eigen doos.

De Zoutoplossing

Voor deze super-de-luxe kaarttruc heb je alleen een pak kaarten nodig, een toverstokje (maar een potlood is ook wel goed), een tafel en een paar korreltjes doodgewoon keukenzout. Klunzini, geef het zout alsjeblieft even door!

Ik zei 'een paar korreltjes', Klunzini!

Kies iemand uit het publiek en vraag die om een kaart te trekken uit het spel dat je in je hand houdt. Vraag diegene om de kaart te onthouden en hem bij zich te houden.

HMMM...

Vraag hem of haar om de kaarten te verdelen in twee stapeltjes en leg deze ondersteboven voor je op tafel.

Wijs op een van de stapels en vraag je 'slachtoffer' om zijn kaart daar ondersteboven op te leggen.

Laat de zoutkorrels nu stiekem op die kaart vallen. Leid het publiek desnoods af met een zwierig gebaar. Leg dan het andere stapeltje kaarten erbovenop. Neem het hele spel kaarten in één hand.

Vertel het publiek dat je met één magisch tikje van je toverstokje (of potlood) de kaarten kunt splitsen op de plek waar de getrokken kaart zit. Ze zullen je ongelovig aan zitten staren.

Zeg de toverspreuk 'Kaartastico!', leg de kaarten neer en tik er tegelijkertijd zachtjes bovenop met je toverstok. Dankzij de korrels zout glijdt het bovenste stapeltje eraf. Vervolgens draai je de bovenste kaart van het onderste stapeltje om en dat is natuurlijk de kaart die in het begin getrokken was.

Degene die de kaart getrokken had, is stomverbaasd en het publiek juicht waanzinnig. Neem het applaus met een diepe buiging in ontvangst en zorg dat niemand het zout te zien krijgt.

Open kaart

De Amerikanen Penn en Teller zetten sinds het begin van hun samenwerking in 1975 de goochelwereld continu op stelten omdat ze voor de televisie onthullen hoe hun trucs werken.

Op een dag hadden ze iedereen dubbel beet. Penn liet een voorbijganger op straat een kaart trekken uit een spel kaarten. Daarna maakte Penn een waaier van de rest van het spel en zei hij welke kaart de voorbijganger had getrokken.

Hoe doen ze het toch?
De kaarttruc van Penn en Teller

Teller zat in een tv-studio en legde aan miljoenen kijkers uit dat hij Penn met een speciale camera had geholpen om de ontbrekende kaart te vinden. De camera, zo zei hij, bestudeerde de kaarten in Penns hand en zag meteen welke er ontbrak. Teller briefde deze informatie via een zendertje door aan Penn, die zo de ontbrekende kaart kon noemen. Het tv-publiek was diep onder de indruk van deze slimme truc.
Maar het was allemaal één grote leugen.

PENN   TELLER

Hoe doen ze het nu écht?

Er was helemaal geen speciale camera om de kaarten te bekijken. Penn had een nietsvermoedende toeschouwer gewoon een kaart 'opgedrongen' en wist dus van tevoren al welke kaart het was. De grap was dat het tv-publiek Tellers hele verhaal over moderne techniek gewoon had geslikt, terwijl Penn eigenlijk een van de alleroudste trucs gebruikte. Uiteindelijk vertelden ze het publiek de hele waarheid...

Als je echt goed wilt leren goochelen met kaarten, moet je er flink wat uren hard werken en trouw oefenen voor over hebben. Maar als je het eenmaal onder de knie krijgt, is er niets leukers dan de verraste gezichten van het publiek dat finaal om de tuin is geleid door een fantastische kaarttruc. En David Devant zei het al aan het begin van dit hoofdstuk: je hebt eigenlijk maar acht simpele trucs nodig als basis voor een geweldige show…

Tja, Arnold Jan Scheer (1948-heden) is het er vast mee eens: een goochelaar kan heel wat voor elkaar krijgen met een set kaarten. Maar onder zijn artiestennaam Celsius pakt hij de magische zaken toch liever iets grootser aan! Een glas wijn inschenken uit een verscheurde krant is kinderwerk. Celsius voelt zich op zijn gemak als hij zweeft op de stoomwolken van een locomotief, goochelt met vuur, of vreemde fratsen uithaalt met vlijmscherpe zagen. Het ene moment zie je hem haarscherp, het volgende moment is hij spoorloos verdwenen…

Wat zeg je nou? Het volgende hoofdstuk gaat over verfijnde verdwijntrucs? Ik ben al weg!

VERFIJNDE VERDWIJNTRUCS

De Grote Verdwijntruc is een van de mooiste kunsten die een goochelaar maar kan brengen. De gave om iets in het niets te laten verdwijnen verbijstert het publiek al eeuwenlang, maar pas in de zeventiende eeuw begon het verdwijnen echt te verschijnen in de goochelarij. Dat was vooral te danken aan de zogenaamde broekklep. Een broekklep was een flinke lap stof voor de opening aan de voorkant van een mannenbroek. Het publiek geloofde dat een goochelaar iets had laten verdwijnen, terwijl het gewoon achter zijn broekklep was beland.

IK HAD DIE EGEL OOK NIET MOETEN LATEN VERDWIJNEN!

In de achttiende eeuw gingen goochelaars tafels gebruiken bij hun verdwijntrucs. In zo'n opklapbaar tafeltje zat een zak verborgen die 'servante' werd genoemd. Hier kon men van alles in verstoppen.

De Grote Verdwijntruc
Verdwijntrucs werden steeds populairder en vanaf de negentiende eeuw lieten goochelaars ook mensen verdwijnen. Ze

kwamen met steeds slimmere manieren om hun publiek beet te nemen. Dit zijn er een paar:

De magische draagstoel

In dit nummer dragen vier mannen een draagstoel, die op twee palen rust, het podium op. Daarin zit een vrouw onder een overkapping.

Een assistent komt het podium op en doet de gordijnen dicht. Een paar tellen later trekt de assistent de gordijnen weer open. Tot stomme verbazing van het publiek is de vrouw spoorloos verdwenen.

Het geheim van deze truc – de overkapping is zo beschilderd dat hij veel kleiner lijkt dan hij is. Zodra de gordijnen dichtgaan, klimt de vrouw boven in de overkapping, zodat ze niet te zien is als de gordijnen opengaan.

De verdwenen vrouw

Voor deze stunt legt de goochelaar een krant op de vloer van het podium. Een vrouw gaat op een stoel boven op de krant zitten. Dan gaat er een doek om de zittende vrouw heen. De goochelaar trekt de doek met een plotselinge beweging weg. De vrouw is verdwenen!

Het geheim van deze truc – In de krant is een gat geknipt dat precies even groot is als een luik in de podiumvloer. Als de goochelaar het doek omhooghoudt, kruipt de vrouw door het gat in de krant via het luik onder het podium. Ze kan ook weer verschijnen, als dat nodig is. De goochelaar houdt een hele krant bij de hand om aan het eind van het nummer het publiek te overtuigen dat hij de vrouw echt weg heeft getoverd. Ja ja!

K(l)apspiegel

Iemand gaat met zijn rug naar het publiek voor een spiegel staan. De goochelaar bedekt hem en de spiegel met een kleed en als hij even later het kleed wegtrekt, is de persoon nergens meer te zien.

Het geheim van deze truc – Het is een speciale spiegel met onderaan een uitsparing. Zodra de persoon voor de spiegel achter het kleed verdwijnt, klapt een assistent een deel van de spiegel op. De persoon kan dan met de voeten vooruit door het gat. Met dit slimme systeem kan de persoon ook weer te voorschijn getoverd worden.

Denk jij dat je iets kan laten verdwijnen? Mooi zo! Nu hoef je alleen het publiek daar nog maar van te overtuigen. En dat kan, zoals altijd, geregeld worden met de fantastische hulp van de Machtige Miraculo.

Voor deze truc heb je een muntje, een lucifersdoosje en een mesje nodig. O, en een volwassene om te helpen met het mesje.

Vraag de volwassene om drie sneetjes in een uiteinde van het laatje van het lucifersdoosje te snijden. Kijk, zo krijg je een soort klepje. Klunzini heeft dit voorbeeld voor mij gesneden.

Goed gedaan, Klunzini. Schuif het doosje maar dicht. We hebben het nu wel gezien.

Nu ben je klaar voor de truc! Neem het lucifersdoosje in je ene hand en de munt in je andere, zodat het publiek ze allebei kan zien. Nu kondig je aan dat je de munt zal laten verdwijnen.

Duw het doosje met het niet-bewerkte uiteinde naar het publiek toe open en laat het muntje erin vallen. Schuif het doosje dicht en rammel ermee, zodat iedereen kan horen dat het muntje er echt in zit.

RAMMEL!

Draai nu je hand heel uitgekookt weg van het publiek en laat de munt door het ingesneden klepje uit het doosje glijden. Dit is het belangrijkste deel van de truc, dus oefen tot je het perfect kunt. Als de munt in je hand valt, hou hem dan goed vast en duw het klepje weer goed dicht. Dat kun je met je duim doen.

Zwaai het doosje met je vrije hand hoog boven je hoofd. Tegelijk laat je de munt in je andere hand stiekem in je zak vallen. Zeg de toverspreuk 'Fi Fa Foetsie!' en schud het doosje nog maar eens flink heen en weer.

LAAT HET MUNTJE VALLEN

Het publiek begrijpt er niets van, want ze horen niets meer rammelen. Schuif het doosje nu open met de onbewerkte kant naar voren en laat het lege doosje zien. Je hebt het muntje laten verdwijnen!

Als je het helemaal raadselachtig wilt maken, kun je de munt nu weer te voorschijn toveren. Dit doe je met een klassieke afleidingsmanoeuvre. Je zegt dat je het doosje niet meer nodig hebt en smijt het over je schouder.

Terwijl het publiek toekijkt hoe je het doosje weggooit, pak jij snel met je andere hand de munt uit je zak. Hou hem stevig vast zodat niemand hem kan zien. Nu kun je zelf beslissen waar je de munt weer wilt laten verschijnen. Je kunt bijvoorbeeld op iemand in het publiek aflopen en net doen alsof je 'm achter z'n oor vandaan haalt. Het zal je een daverend applaus opleveren, en dat is natuurlijk helemaal terecht.

Vette verdwijntrucs

Tegenwoordig pakken goochelaars het veel grootser aan en lijkt het wel alsof ze alles kunnen laten verdwijnen. Hier volgt een lijstje met de grootste en beste prestaties...

- Mogelijk de meest ongelooflijke verdwijnstunt aller tijden werd in 1981 uitgevoerd door de Amerikaanse goochelaar David Copperfield (1956-heden), die een vliegtuig liet verdwijnen. (Misschien is dit wel niet de meest ongelooflijke stunt aller tijden, maar niemand had ooit eerder zoiets geprobeerd. Het was in elk geval het begin van een rage om gigantische dingen te laten verdwijnen.)
Voor de ogen van miljoenen tv-kijkers zette Copperfield een grote groep vrijwilligers hand in hand in een kring om het vliegtuig heen. (Zoals je verderop in dit boek kunt lezen, geloven veel mensen dat Copperfields 'vrijwilligers' eigenlijk altijd handlangers van hem zijn.) Die mensen werden daarna omringd door een rij gigantische schermen. Het tv-publiek kon het vliegtuig nog zien dankzij geniale lichteffecten. Onder de klanken van keiharde, aanzwellende muziek, die elk ander geluid overstemde, rolden Copperfields assistenten het vliegtuig weg. Copperfield zwaaide met zijn handen, liet de schermen weghalen en tot verbijstering van het tv-publiek was het vliegtuig verdwenen.
- In 1985 trad de goochelaar Meir Yedid (1960-heden) op in het tv-programma van zijn zeer succesvolle Engelse collega Paul Daniels en liet hij iedereen versteld staan door zijn vingers te laten verdwijnen.
- Paul Daniels (1938-heden) zelf voerde een onvoorstelbaar sterk staaltje goochelkunst op toen hij een van de camera's

77

waarmee zijn tv-programma werd opgenomen liet verdwijnen, tot grote ontsteltenis van de cameraman!

- In 1986 liet David Berglas (1926-heden), ooit voorzitter van
  The Magic Circle (een beroemd Engels goochelaarsgenootschap waar veel topgoochelaars lid van zijn), twee verpleegsters zijn polsen vasthouden en zijn polsslag meten.
  Terwijl ze zijn polsen bleven vasthouden, liet hij zijn polsslag
  'verdwijnen'!
- Een van de beroemdste nummers van Siegfried en Roy was
  het laten verdwijnen van een olifant. Geen kleine speel-
  goedolifant, maar een ech-
  te, levensgrote. De snelheid
  waarmee deze truc werd
  uitgevoerd, was het meest
  verbazingwekkende. Een
  paar tellen nadat de olifant
  in een kist stapte, was hij al
  verdwenen. Een truc die de
  olifant niet snel zal verge-
  ten!

- In 1994 ging Franz Harary nog een stapje verder dan David
  Copperfield: hij liet een Space Shuttle Explorer van de
  NASA verdwijnen.

De goochelaars die deze stunts uithalen doen heel geheimzinnig over hoe ze het voor elkaar krijgen. Soms moeten hun
assistenten zelfs contracten tekenen waarin ze beloven dat ze
het nooit zullen doorvertellen. Maar als jij belooft om je mond
dicht te houden, kunnen we onthullen hoe sommige goochelaars enorme dingen laten verdwijnen…

Hoe doen ze het toch?
Enorm grote dingen laten verdwijnen

1. *Vaak laat de goochelaar het ding dat straks gaat verdwijnen aan het publiek zien…*

2. *…en plaatst dan een scherm of iets dergelijks tussen het voorwerp en de camera.*

3. *Het scherm wordt weggehaald en – raar maar waar – het voorwerp is verdwenen. Maar in werkelijkheid staan de goochelaar, het scherm en de camera allemaal op een beweegbaar podium. Als het scherm voor het voorwerp gezet wordt, schuift het podium een paar meter opzij.*

4. *Wij merken daar niets van, omdat camera, goochelaar en scherm allemaal tegelijk en even snel dezelfde kant op gaan, zodat het lijkt alsof ze niet bewegen. Vervolgens wordt het scherm opgetild, met daarachter helemaal niks.*

5. *Soms zit er een live-publiek bij dat dit allemaal ziet gebeuren. Maar die spelen dan onder één hoedje met de goochelaar.*

Al die goochelaars die ons maar blijven verbazen met steeds grotere, steeds betere verdwijntrucs – wie weet waar het uiteindelijk toe zal leiden…

GEHEIMZINNIGE GEDACHTELEZERS

Gedachtelezen is misschien wel de meest mysterieuze tak van de goochelkunst. 'Gedachtelezers' of 'helderzienden' lijken andermans gedachten te kunnen lezen. Voor het grootste deel is het een hele slimme truc, maar sommigen beweren dat ze *echt* gedachten kunnen lezen of, met een deftig woord, over 'telepathische' krachten beschikken. Maar zijn gedachtelezers wel echt zo speciaal?

Gedachtelezen werd in 1784 voor het eerst in een goochelshow gebruikt door onze vriend Pinetti. In zijn nummer blinddoekte hij zijn vrouw en liet hij haar dingen benoemen die mensen uit het publiek mee het podium op namen. Zonder iets aan te raken kon ze horloges, munten, zakdoeken en nog veel meer opnoemen dat het publiek in handen had.

Het geheim achter de truc van de Pinetti's is nooit bekend geworden. Het kan zijn dat hij en zijn vrouw codewoorden gebruikten om verschillende dingen aan te duiden. Zo'n code werd zeker gebruikt door het volgende stel…

Gedachtewisseling

Julius Zancig (1857-1929) en zijn vrouw Agnes (?-1916) traden eind negentiende, begin twintigste eeuw op. Ze prezen zichzelf aan met de leus: 'twee zielen, één gedachte'. Hun act bestond eruit dat Agnes de gedachten van Julius las en zo dingen te weten kwam over mensen in het publiek. De toeschouwers keken met open mond naar dit schijnbaar ongelooflijke staaltje telepathie, maar in werkelijkheid gebruikten Julius en Agnes ingewikkelde codewoorden…

Hoe doen ze het toch?
De gedachteleestruc van de Zancigs

In de code van het echtpaar Zancig had één woord allerlei verschillende betekenissen.

Het woord alsjeblieft *had bijvoorbeeld zeven betekenissen. Het kon staan voor de letter F, de maand juni, het cijfer 6, een postbode, vrijdag, de namen Frank of Francis en een telegram of brief.*

Als Julius bijvoorbeeld zei: 'Ik heb iets gekregen van een meneer. Zijn naam, alsjeblieft?', dan wist Agnes dat die man Frank heette.

VERTEL ME BOBS NAAM, ALSJEBLIEFT.

Bob

Het woord maar *werkte net zo en stond voor de letter S, het cijfer 19 en een pijpenrager. Het woord* geef *betekende horloge en 9. Dus als Julius zei:*

'Maar geef me alsjeblieft de namen van de drie voorwerpen die ik hier heb,' dan wist Agnes dat hij een
pijpenrager, een horloge en een brief had.
Julius kwam uit Denemarken, dus als hij bij vlagen een
beetje raar leek te praten, dacht het publiek gewoon dat
het daardoor kwam. Als Julius zei: 'Maar alsjeblieft,
geef me alsjeblieft de cijfers op dit papiertje,' welk cijfer
probeerde hij dan aan Agnes door te geven? Nu je hun
geheime code kent, zou je dat moeten kunnen uitvissen.

Antwoord: 19696

De Pinetti's en de Zancigs werkten in teamverband, maar het
publiek ontcijferde al snel een groot deel van hun codes.
Daarna wilden de mensen iets nieuws, iets om echt versteld
van te staan. In de jaren twintig van de vorige eeuw verscheen
er een goochelaar op het toneel die in z'n eentje wilde goochelen met gedachten...

Gedachte-experimenten
Joseph Dunninger (1892-1975), die zichzelf de voorzitter van
het Amerikaans Paranormaal Genootschap noemde, had een
bijzonder sterke, mysterieuze uitstraling. In 1920 vroeg hij tijdens een optreden in Boston vijf mensen uit het publiek om
woorden op papiertjes te schrijven. De papiertjes werden
opgehaald door een assistent en in een envelop gestopt. De
assistent legde de envelop daarna op de vloer en zette zijn
voet erop. Dunninger concentreerde zich heel diep en raadde

vervolgens feilloos wat er op al die papiertjes stond.

Dunninger was niet alleen een griezelig goede gedachtelezer, hij was er ook heel sterk in om in de publiciteit te komen. Regelmatig gebruikte hij zijn magische krachten als hij zich in een lastige situatie bevond.

Op een keer was Dunningers auto gestolen. Toen hij naar de politie ging, vroegen de agenten lachend: „Waarom vertel je ons niet gewoon wie hem heeft gestolen?" Dunninger dacht diep na en vertelde de politie toen dat hij niet wist wie zijn auto had gestolen, maar wel waar hij was. Toen de politie op zoek ging, vonden ze ongelooflijk genoeg Dunningers auto, die tegen een verkeerszuil was geknald. Volgens sommigen zat Dunninger er zelf achter. Maar nee: in de auto vond de politie ook de professionele autodief Robert Cunningham...

Dunninger werd een zeer succesvolle artiest, eerst alleen op de radio en daarna op televisie. Zijn act bleef de mensen verbazen, vooral het onderdeel dat hij 'Brein Breken' noemde. Dunninger las de gedachten van mensen die zich buiten de tv-studio bevonden. Vaak zelfs niet alleen buiten de stúdio, maar nog veel verder weg: in een onderzeeër of in een vliegtuig. Op een keer opende hij zelfs de brandkast in de Nationale Juweliers Beurs van Amerika door de gedachten te lezen van de twee bewakers, die ieder de helft van de cijfercombinatie kenden.

Dunningers gedachtegoed

Dunningers truc met de envelop werd zo populair dat veel goochelwinkels handleidingen begonnen te verkopen van hoe het volgens hen werkte. Jammer genoeg hadden de winkels Dunninger niet om toestemming gevraagd, dus schreef hij in 1927 het volgende in een tijdschrift over wetenschap en uitvindingen:

> *Allerlei verkopers van goochelspullen vragen torenhoge prijzen voor de uitleg van de methode die ik volgens hen gebruik. Om te bewijzen dat ze ernaast zitten, laat ik hierbij weten hoe mijn systeem werkt.*

En toen beschreef hij precies hoe hij de truc uitvoerde…

Hoe doen ze het toch?
Dunningers truc met de envelop

1. *Dunningers assistenten deelden papiertjes uit aan mensen in het publiek.*

2. *Dunninger vroeg die mensen om iets op de papiertjes te schrijven, zoals hun naam, adres of geboortedatum. Daarna moesten ze de papiertjes goed opvouwen zodat niet te zien was wat erop geschreven was.*

3. *Dunninger en zijn assistenten vroegen het publiek om hun papiertjes in enveloppen te stoppen.*

4. *Op dat moment werden sommige papiertjes, terwijl ze aan Dunninger of een van zijn assistenten werden gegeven, weggemoffeld en vervangen door blanco papiertjes. De blanco papiertjes werden in de enveloppen gestopt.*

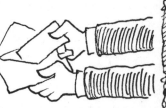

5. *Terwijl het publiek werd afgeleid, werden de wegge-moffelde papiertjes vlug gelezen, zodat Dunninger de inhoud ervan daarna aan het publiek kon onthullen.*

Hierna gaf Dunninger nooit meer de geheimen achter zijn wonderbaarlijke kunsten prijs. Hij deed er wel een paar mysterieuze uitspraken over. Op een keer zei hij: „Een kind van 12 zou, na 30 jaar oefening, hetzelfde kunnen als ik. Het is immers geen telepathie. Het is gedachteoverdracht." Snap jij het nog? Nee? Dat is dan waarschijnlijk precies zoals Dunninger het gewild heeft…

Gedachtekronkels
Na Dunninger beweerden andere gedachtelezers dat hun kunsten te danken waren aan 'echte' telepathie. Zoals het echtpaar Piddington, dat samen optrad en schijnbaar informatie naar elkaar kon overzenden over grote afstanden. In 1949 werd Lesley Piddington opgesloten in de Tower van Londen, terwijl haar man Sidney informatie naar haar zond vanuit een televisiestudio een heel eind verderop. Hoe ze het

deden bleef een mysterie, want ze vertelden nooit hoe hun trucs werkten en eindigden hun show altijd met de woorden: „Telepathie of niet? Oordeelt u zelf."

Bij sommige gedachteleestrucs onthult de goochelaar bepaalde informatie *nadat* de vrijwilliger die heeft gegeven. De goochelaar schrijft bijvoorbeeld iets op een stukje papier en doet dat in een envelop. Daarna vraagt hij iemand in het publiek om de naam van zijn kat in gedachte te nemen. De gedachtelezer concentreert zich heel diep en vraagt die persoon dan te zeggen hoe zijn kat heet. *Daarna* scheurt de goochelaar de envelop open en haalt daaruit een papiertje te voorschijn waarop de naam van de kat geschreven staat.

In dit geval kan de goochelaar een vingerpennetje hebben gebruikt...

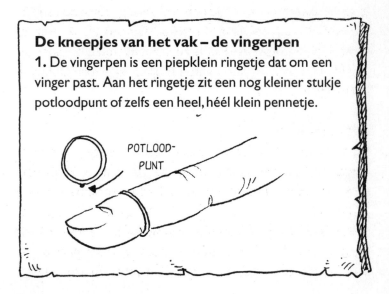

De kneepjes van het vak – de vingerpen
1. De vingerpen is een piepklein ringetje dat om een vinger past. Aan het ringetje zit een nog kleiner stukje potloodpunt of zelfs een heel, héél klein pennetje.

POTLOOD-
PUNT

2. Als de toeschouwer zijn geheime informatie heeft onthuld, zoals de naam van zijn kat, leidt de goochelaar het publiek even af, zodat hij de naam van de kat stiekem heel snel kan opschrijven op een ander papiertje dat achter de envelop verstopt zit. Dat doet hij met zijn vingerpen.

3. Dan scheurt de goochelaar de envelop open en doet net of hij het papiertje eruit haalt. Maar in werkelijkheid laat de goochelaar het tweede papiertje dat achter de envelop verstopt zit aan het publiek zien, terwijl hij de envelop (met het eerste papiertje erin) verfrommelt en weggooit.

Spierballenvertoon

Andere gedachtelezende goochelaars doen iets wat 'spierlezen' genoemd wordt. Bij deze techniek is het absoluut nodig dat de illusionist de persoon wiens gedachten hij gaat lezen aanraakt. Vaak betekent dat handen vasthouden, maar het kan ook met een hand op een schouder.

Aan het eind van de negentiende eeuw bracht John Randall Brown als eerste het spierlezen op het podium. Hij beweerde dat hij deze gave als kind ontdekt had tijdens spelletjes snoepjes zoeken – waarschijnlijk pakte hij de hand van degene die het snoepje had verstopt, zodat hij het altijd als eerste vond, de valsspeler!
Tijdens zijn act vroeg Brown iemand uit het publiek om ergens in het theater een speld te verstoppen – bijvoorbeeld in een schoen, in de rugleuning van een stoel of in de dames-wc.

Brown pakte de hand van degene die hem verstopt had en leidde die zonder een woord te zeggen rechtstreeks naar de speld – waar die ook verstopt was.

Iets korter geleden bouwde de Hongaarse spierlezer Franz J. Polgar deze techniek uit. Hij kon een zilveren klem vinden die ergens verstopt was in het New Yorkse Empire State Building, een wolkenkrabber van 102 verdiepingen. Alsof je een piepklein naaldje zou moeten zoeken in de grootste hooiberg ter wereld!

Aan het eind van zijn optreden speelde Polgar altijd een bijzonder gevaarlijk spelletje verstoppertje met zijn publiek – gevaarlijk voor hém dan wel te verstaan, want hetgeen verstopt werd, was zijn salaris. Als hij het geld niet vond, zou hij die dag geen cent verdienen. Door de jaren heen verstopte het publiek Polgars geld op de raarste plaatsen – de uitgeholde hak van een schoen, in een dichtgenaaide tennisbal... Ze verstopten het zelfs in de loop van een politiepistool. Maar Polgar vond zijn geld altijd terug.

Hoe doen ze het toch?

Spierlezen (gedachteoverdracht door aanraking)

Sommige geheimen van spierlezers zijn onthuld door de beroemde natuurkundige en Nobelprijswinnaar Richard Feynman (1918-1988). In het boek dat hij over zijn leven schreef, beschrijft hij hoe hij als kind een gedachtelezer een bankbiljet terug zag vinden. De gedachtelezer pakte de hand van degene die het geld had verstopt en begon door de stad te lopen, terwijl hij diens 'gedachten las'. Hij vond het briefje terug in een la. Na afloop vroeg Richards vader de gedachtelezer hoe hij dat gedaan had. Dit was zo ongeveer wat de gedachtelezer toen zei:

Je moet de hand losjes vasthouden en hem onder het lopen een beetje heen en weer laten schommelen. Je komt bij een kruising, je wiebelt een beetje naar links en als dat niet de goede richting is, voel je een beetje weerstand, omdat je proefpersoon niet verwacht dat je die kant opgaat. Maar als je de goede kant opgaat, verzet de proefpersoon zich niet, omdat hij echt denkt dat je misschien zijn gedachten kunt lezen. Je moet dus altijd een beetje met je hand heen en weer wiegen om uit te proberen wat de makkelijkste weg is.

Als je dit zelf wilt proberen, kun je jouw proefpersoon het beste links van je laten lopen, ongeveer een stap achter je. Veel succes!

Het is psychisch

Psycho-goochelen is nog altijd populair en nog steeds even dubieus. De in Israël geboren Uri Geller (1946-heden) is zo iemand die psychische trucs uithaalt en daarbij beweert dat hij alleen zijn geestkracht gebruikt. Hij is vooral superbekend geworden met het ombuigen van lepels door middel van wat hij 'psychokinese' (ook wel 'telekinese') noemt – de gave om voorwerpen met je geest te bewegen of te beïnvloeden.

Uri is ook beroemd geworden met het zomaar stopzetten of weer laten lopen van horloges en klokken. Als hij op tv komt, merken kijkers vaak dat een klok die al jaren stilstaat ineens weer begint te lopen.

Geller doet ook aan gedachtelezen en heeft pogingen gewaagd om bijvoorbeeld de uitkomst van voetbalwedstrijden te beïnvloeden met behulp van positief denken. Dat deed hij door voor een grote interland kristallen, die volgens hem positieve energie afgeven, in het doel te zetten. Ook heeft hij mensen gevraagd om een bal die op tv verscheen, aan te raken en positief te denken over de winnende ploeg. Helaas verliepen deze pogingen niet altijd even succesvol.

Zelf zegt hij het volgende over zijn 'krachten':

Het kan me weinig schelen of u denkt dat ik de boel nep. Ik heb mijn krachten 30 jaar lang bewezen en minstens 11.000 lepels verbogen. Ik ben inmiddels wel gewend aan sceptici (dat zijn mensen die niet in zijn krachten geloven). Veel mensen noemen mij liever een leugenaar dan dat ze toe moeten geven dat ze zich misschien hebben vergist in paranormale zaken.

Veel goochelaars zeggen dat ze alles wat Uri Geller doet ook kunnen met goocheltechnieken. En iemand heeft uitgezocht dat er ruim voor Uri Gellers optredens al eens een lepelbuig-truc werd beschreven in een goocheltijdschrift. Er is zelfs een boek, *De onthulling van het Gellerisme* van Ben Harris, waar-in de schrijver beweert al Uri's kunstjes te verklaren. Maar het blijft een feit dat nog steeds niemand het helemaal zeker weet.

Een andere wereldberoemde geestgoochelaar die momenteel optreedt, is Max Maven. Hij werd ooit de 'origineelste geest in goochelland' genoemd. Hij beweert dat hij kan zeggen wat iemand denkt, los van wat voor taal die spreekt.

Maven is niet bang om moderne technieken te gebruiken en heeft een paar illusies bedacht, waaronder een hologram van een 20 centime-ter grote tovenaar die 'Maximus Maven' heet en die de gedachten van mensen uit het publiek leest.

We kunnen alleen maar van Max Mavens kunsten zeggen dat hij ont-zettend slimme psychologische trucs toepast om bij mensen 'in het hoofd te kijken'.

Inmiddels sta je waarschijnlijk te trappelen om je eigen gees-telijke vermogens in de strijd te gooien en te weten te komen hoe je zelf 'gedachten kunt lezen'. En je hoeft niet helder-ziend te zijn om te weten wie je dat gaat uitleggen. Inder-daad: de Machtige Miraculo.

Hallo. Dus jij wilt weten hoe je gedachten moet lezen? Ach ja, de keer dat ik de gedachten van een hyena las, herinner ik me als de dag van gisteren. Altijd lachen. Maar goed, voor deze truc heb je alleen wat kaarten nodig, plus een medewerker. Klunzini, tien kaarten graag en zorg vooral dat er een tien bij zit!

Dank je, Klunzini. Goed, en verder is het heel belangrijk dat je de kaarten net zo neerlegt als de symbolen op de tien-kaart.

Draai je nu om, ga de kamer uit of laat je blinddoeken. Vraag dan iemand uit het publiek om een van de kaarten aan te wijzen.

Ga weer naar de kaarten en kondig aan dat je medewerker de kaarten om de beurt gaat aanraken. Jij vangt zijn hersengolven op en daaruit kun je opmaken welke kaart er is aangewezen.

Voor het geval het publiek denkt dat jij en je medewerker hebben afgesproken hoe vaak elke kaart moet worden aangeraakt, laat je eerst iemand een getal noemen. Dit getal wordt het aantal keren dat je medewerker de kaart aanraakt. Niet meer en niet minder.

Zodra het getal is genoemd, hoef je alleen maar goed op te letten hoe jouw medewerker de kaarten met één vinger aanraakt. Het maakt namelijk niet uit hoe vaak hij de kaarten aantikt, maar wel wáár hij ze aantikt. Vooral de plek waar de tien wordt aangetikt. Daar gaat het om!

De kaarten liggen net zo op tafel als de symbolen op de tien. Dus als je medewerker de tien hier aanraakt, weet jij meteen dat de uitgekozen kaart op die plek op de tafel ligt.

Zo, dat was dat. Dank u voor het applaus. Tijd om op te ruimen, Klunzini!

GRRRR!

Zo eenvoudig gaat het als je gedachten wilt lezen. Gewoon een kwestie van de dingen helder blijven zien en je koppie erbij houden…

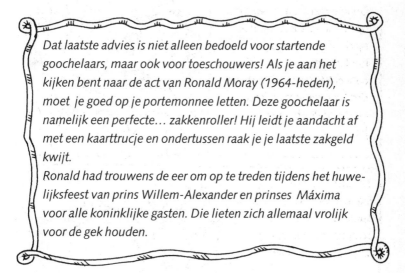

Dat laatste advies is niet alleen bedoeld voor startende goochelaars, maar ook voor toeschouwers! Als je aan het kijken bent naar de act van Ronald Moray (1964-heden), moet je goed op je portemonnee letten. Deze goochelaar is namelijk een perfecte… zakkenroller! Hij leidt je aandacht af met een kaarttrucje en ondertussen raak je je laatste zakgeld kwijt.

Ronald had trouwens de eer om op te treden tijdens het huwelijksfeest van prins Willem-Alexander en prinses Máxima voor alle koninklijke gasten. Die lieten zich allemaal vrolijk voor de gek houden.

ZWEVERIG GEDOE

Een touw dat zichzelf afrolt? Een rondvliegende viool? Mensen die zomaar in de lucht zweven? Wil je weten hoe deze waanzinnige wondertrucs werken? Voordat we je een paar beroepsgeheimen verklappen, gaan we eerst eens kijken waarmee het allemaal begonnen is…

Verre verhalen

In de dertiende eeuw kregen nogal wat mensen de reiskriebels, dankzij de legendarische ontdekkingsreiziger Marco Polo (1254-1324), die beroemd werd door zijn reizen naar het Verre Oosten. Velen volgden zijn voorbeeld en gingen net als hij verslag doen van allerlei goochelstunts die ze in India zagen. Zoals voorwerpen of mensen die in de lucht zweefden zonder zichtbare ondersteuning – dit wordt met een duur woord 'levitatie' genoemd.

Dit soort trucs werd meestal uitgevoerd door fakirs: Indiase monniken van wie beweerd werd dat ze wonderen konden verrichten. Er deden veel verhalen de ronde over de ongelooflijke krachten van de fakirs. Een daarvan verwees naar een heel speciaal spektakel.

1. Brandende fakkels werden vlak bij het publiek neergezet. Op de grond lag een lang, opgerold touw naast een fraai gevlochten mand.

2. Voor de fakir aan de truc begon, speelde een jongen fluit en de fakir trommelde. Daarna bracht de jongen het touw naar de trommelende fakir toe. De fakir bleef trommelen en het publiek wachtte af.

3. Even later ging een uiteinde van het touw plotseling de lucht in. Het touw rolde langzaam af tot het strak omhoog stond.

4. De fakir gooide wat wierook in de fakkels en er stegen grote rookwolken op. Hij knipte met zijn vingers, waarna het jongetje in het touw klom en in de rook verdween.

5. Even later riep de fakir de jongen weer naar beneden, maar die gaf geen antwoord. De fakir riep opnieuw, maar weer geen reactie. Zo te zien behoorlijk boos begon de fakir toen zelf in het touw te klimmen, achter de jongen aan. Toen hij terugkwam, zei hij dat het jongetje verdwenen was.

6. Zodra de fakir weer met beide benen op de grond stond, klonk er een gil uit de mand. De fakir liep ernaartoe, tilde het deksel op en het jongetje sprong eruit. Het publiek klapte luid. De fakir en de jongen bogen zo diep ze konden.

Door de eeuwen heen hebben veel mensen verklaard dat bij deze Indiase touwtruc echte magische krachten kwamen kijken. In de veertiende eeuw beweerde de Arabier Ibn Battuta (dat betekent: de reiziger, 1304-1377), dat hij op reis naar China in het publiek had gestaan toen de Indiase touwtruc werd opgevoerd. En in de negentiende eeuw zei de Russische schrijver Maxim Gorki (1868-1936) dat hij de truc met eigen ogen had gezien. Beiden geloofden oprecht dat ze een waarachtig staaltje tovenarij hadden zien opvoeren.

In 1954 besloot een groep Indiërs om de Indiase touwtruc eens zo zorgvuldig mogelijk te onderzoeken. Ze verzamelden alles wat maar met de truc te maken had en bestudeerden dat tot in het kleinste detail. Daarna verklaarden ze dat de Indiase touwtruc onmogelijk was en niks meer dan een fascinerend fabeltje.

Maar een jaar na deze beroemde verklaring werd het geheim van de illusie onthuld. Sadhoe Vadramakrishna was een Indiase goeroe die instemde met een interview door de Amerikaanse journalist John Keel (1930-heden). De goeroe vertelde dat hij als jongen aan de Indiase touwtruc had meegewerkt.

Hij beschreef de truc als volgt:

Hoe doen ze het toch?
Sadhoe Vadramakrishna's touwtruc

- *De fakir en het jongetje moeten getrainde acrobaten zijn, want het geheim van deze truc is dat je ontzettend goed moet kunnen klimmen en balanceren.*

- *Voer deze truc altijd 's avonds uit. Zorg dat de fakkels op de grond heel fel branden en precies in de ogen van de toeschouwers schijnen, zodat die het allemaal niet zo goed kunnen zien.*

- *Stel je op tussen twee bomen of huizen en zorg dat daar een dunne kabel tussen hangt. Over die kabel komt een heel dun draadje (dat dus bijna niet te zien is) te hangen. Aan één kant zit dit draadje vast aan het uiteinde van het opgerolde touw. De fakir houdt het andere uiteinde vast.*

- *Als de fakir aan het draadje trekt, lijkt het touw op magische wijze de rokerige lucht in te vliegen en daar blijft het rechtop hangen.*

- *Dan klimt de jongen in het touw dat wordt opgehouden door de fakir, en hij hijst zichzelf op de dunne kabel. Er hangen grote rookwolken, dus het publiek kan de jongen nu niet meer zien. Het jongetje bindt het touw aan de strak gespannen kabel en verdwijnt als een koorddanser door de rook naar een van de bomen of huizen.*

- *Dan klimt de fakir in het touw.*
- *Weer op de grond trekt de fakir de aandacht van het publiek naar zich toe. Intussen glipt de jongen stiekem de mand in, zonder dat het publiek het ziet. Dan ontdekt de fakir dat de jongen in de mand zit.*

Deze verklaring leek het einde te worden voor de mythische Indiase touwtruc. Maar in 1999 verscheen er een man op het goocheltoneel die de hele discussie opnieuw aanzwengelde. Ishamuddin kondigde aan dat hij een variant op de Indiase touwtruc in de buitenlucht zou opvoeren, bij klaarlichte dag en uit de buurt van gebouwen. Vijfentwintigduizend mensen kwamen kijken bij dit verbluffende spektakel. Ishamuddin leek inderdaad een eind touw vanuit een mand ongeveer zes meter hoog te laten opstijgen. Daarna liet hij een jongetje een eindje in het touw klimmen. Het was werkelijk een ongelooflijk schouwspel en het publiek dacht dat het tovenarij was. Maar sommige toeschouwers beweerden dat ze de truc doorhadden...

Hoe doen ze het toch?
Ishamuddins touwtruc

1. *Ze beweerden dat Ishamuddin het publiek eerst een gewoon stuk touw liet zien, dat hij daarna wegmoffelde.*

2. *Ze zeiden verder dat het 'opstijgende' touw in werkelijkheid om een metalen buis gewikkeld zat, die onder de mand in de grond was gestopt.*

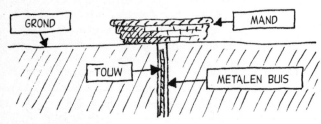

3. *Een hulp die ook onder de mand verstopt zat, duwde het 'touw' langzaam omhoog en hield het goed vast terwijl het jongetje erin klom.*

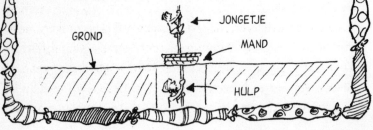

Geïnspireerd door de Indiase touwtruc lieten goochelaars in de negentiende eeuw opeens van alles de lucht in vliegen. Sommige van die India-gangers beweerden dat ze mensen hadden zien zweven. En bij elk 'wonder' dat ze zagen, was natuurlijk een fakir in de buurt. Reizigers vertelden verhalen over fakirs die de gekste dingen konden:

ZICHZELF IN TRANCE BRENGEN EN DOOR DE LUCHT LOPEN.

DE LUCHT IN SCHIETEN, HELEMAAL NAAR DE MAAN.

EEN BLOKVORM AANNEMEN, EEN STUKJE OPSTIJGEN EN IN DE LUCHT BLIJVEN ZWEVEN.

De Sheshal-show

In 1830 schreven verschillende Europese kranten over priesters die in de lucht bleven zweven met hooguit een grote veer als steuntje. Een van hen kon zweven terwijl hij maar met één elleboog op een paal leunde. Hij heette Sheshal.

Sheshal begon zijn show zittend op een krukje met vier poten, waar aan één kant een bamboepaal doorheen zat. Een hulpje bedekte Sheshal met een doek, terwijl die zichzelf schijnbaar in een hele diepe trance bracht. Een paar minuten later trok het hulpje de doek weg, en… daar hing Sheshal, ruim een meter boven de grond, met zijn elleboog leunend op de bamboepaal, waar nu een enorme veer aan vastzat. Het leek net of Sheshal zweefde.

DEZE ZWEEFTRUC IS WAANZINNIG!

Wonderbaarlijk weetje
De Zweedse entertainer Seeman bracht in 1872 een bezoek aan de heilige Indiase stad Benares. Daar ontmoette hij een fakir, die een klein meisje schijnbaar boven een bloemenstalletje liet zweven. Seeman mocht het schouwspel van heel dichtbij bekijken. De volgende dag werd Seeman bij de fakir geroepen. Hij was stomverbaasd: de handen van de fakir waren verschroeid door brandende fakkels. De fakir legde uit dat hij zijn handen zelf had verbrand, als straf omdat hij Seeman te dicht bij een fakirtruc had laten komen, wat streng verboden was.

Robert-Houdin en zijn horizontale zoon
Omdat ze niet wilden onderdoen voor goochelaars in India, besloten twee Europeanen er nog een schepje bovenop te doen. In de jaren veertig van de negentiende eeuw beweerde de Fransman Jean-Eugène Robert-Houdin (1805-1871) dat

hij zijn zoon Emile kon laten zweven met behulp van het onlangs ontdekte gas ether. Het overdonderde publiek geloofde dat de magische ether het hem deed.

Daarna, in 1867, liet de Engelse illusionist John Nevil Maskelyne (1839-1917) in het Londense Crystal Palace zijn vrouw vanuit een staande houding schijnbaar een meter de lucht in zweven. De krant *The Times* schreef:

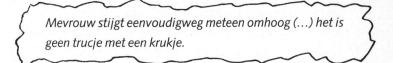

Mevrouw stijgt eenvoudigweg meteen omhoog (…) het is geen trucje met een krukje.

En Maskelynes act werd zelfs nog ambitieuzer. Hij kon zichzelf vanuit een dichte kast omhoog laten zweven, vlak boven de hoofden van zijn publiek. Iedereen vroeg zich af hoe hij hem dat flikte.
De Amerikaan Harry Kellar (1849-1922) ging Maskelynes werk ijverig bestuderen, vastbesloten om uit te vissen hoe de trucs van deze illusionist werkten. Hij kwam er in zijn eentje

niet uit, dus nam hij zijn toevlucht tot een van de oudste trucs die er maar bestaan: omkoping. Kellar gaf een som geld aan de goochelaar Paul Valadon (1869-1913), die voor Maskelyne werkte, en Valadon onthulde toen de geheimen achter de show. Valadon ging vervolgens in Amerika voor Kellar werken. Niet lang daarna bracht Kellar ongelooflijke levitatieshows op de planken, waarvoor hij de trucs van Maskelyne als basis gebruikte.

Wil je weten wat dat voor trucs waren? Nou, oké dan. En we doen er ook nog een paar extraatjes bij…

De kneepjes van het vak – levitatie

Met behulp van een paal: Veel beroemde levitatietrucs werken met een paal die verborgen is in de kleren van de zwevende persoon. De zwever ligt op een dunne dwarsbalk die met een scharnier vastzit aan een loodzware stoel. Het lijkt net of hij boven de stoel zweeft, maar hij heeft gewoon een stevig steuntje in de rug…

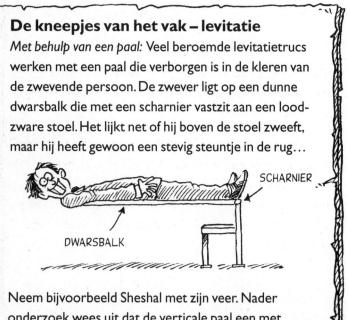

SCHARNIER

DWARSBALK

Neem bijvoorbeeld Sheshal met zijn veer. Nader onderzoek wees uit dat de verticale paal een met bamboe bedekte metalen staaf was. Toen Sheshal een doek over zich heen kreeg, hing zijn hulpje een dunne dwarsbalk boven aan de paal en bedekte het geheel met

een enorme veer. Sheshal balanceerde op de dwarsbalk en liet zijn publiek denken dat hij alleen met zijn
elleboog op de paal leunde.

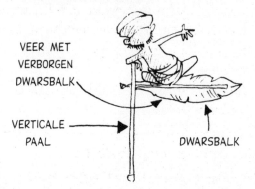

VEER MET
VERBORGEN
DWARSBALK

VERTICALE
PAAL

DWARSBALK

Waarschijnlijk zat er achter John Nevil Maskelynes
wonderbaarlijke levitatienummer net zo'n soort stellage
van metalen buizen.

Met behulp van nepvoeten: Iemand wordt bedekt met een
laken, waar alleen zijn hoofd en zijn voeten uit steken.
Vervolgens lijkt hij de lucht in te zweven, terwijl zijn
hoofd en voeten zichtbaar blijven. In werkelijkheid steken
er twee nepvoeten (meestal aan houten stokken) onder
het laken uit.

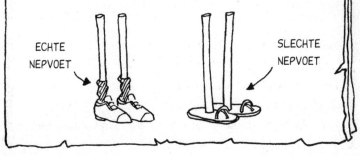

ECHTE
NEPVOET

SLECHTE
NEPVOET

De goochelaar hurkt neer met zijn hoofd aan één kant naast het laken en de nepvoeten aan de andere kant.

Als het laken wordt opgetild, gaat hij rechter op staan en tilt hij de nepvoeten omhoog, zodat het net lijkt alsof zijn hele lichaam opstijgt.

Met behulp van een lege vorm. Een 'vrijwilliger' (gewoon het hulpje van de goochelaar) wordt verborgen achter een laken en verdwijnt door een luik in het podium. Dan duwt de vrijwilliger een holle vorm (die lijkt op een mens) door het luik omhoog. De goochelaar trekt het laken nu over de vorm en voor het publiek lijkt het net alsof de vrijwilliger onder het laken zit. Als de goochelaar het laken omhoog tilt, tilt hij ook de lege vorm op, zodat de illusie ontstaat dat hij de vrijwilliger laat zweven. Als de goochelaar het laken weer omlaag laat gaan, doet de vrijwilliger het luik open en trekt hij snel de vorm onder het podium. Tegelijkertijd trekt de goochelaar met een ruk het laken weg en… de vrijwilliger is verdwenen!

HOLLE VORM

Zwevende legenden

De moderne goochelgrootmeester David Copperfield (je weet wel: van dat verdwenen vliegtuig) zweeft niet alleen zelf het halve toneel rond, hij 'vliegt' ook in een kooi met een glazen dak. Een van zijn assistenten loopt over dit dak heen om te laten zien dat het stevig glas is en dat er dus geen draadjes doorheen kunnen lopen waar Copperfield aan kan hangen. Het is echt een fantastisch nummer!

Er zijn mensen die beweren dat Copperfield zijn eigen handlangers op de voorste rijen van de zaal zet, zodat het echte publiek de geheime draden niet kan zien. De illusionist spreekt dit soort beweringen natuurlijk tegen, maar al zijn medewerkers moeten wel schriftelijk verklaren dat ze zijn geheimen niet openbaar zullen maken.

Copperfield haalde misschien wel de grootste levitatiestunt uit de geschiedenis uit toen hij zogenaamd over de hele brede, beroemde Grand Canyon in Arizona heen zweefde! Hoewel het er erg geloofwaardig uitzag, heeft Copperfield volgens velen kunstig gebruikgemaakt van alle trucjes die je met moderne camera's kunt uithalen.

David Blaine zweeft schijnbaar ook een paar centimeter boven de grond voor het oog van voorbijgangers. Zijn act ziet er ontzettend echt uit, maar kritische toeschouwers menen dat ook hij veel gebruikmaakt van speciale montagetechnieken om zijn trucs voor de tv te presenteren.

Een levitatietruc doe je niet zomaar even. Het kost jaren serieus oefenen en soms moet je er ontzettend dure goochelspullen voor aanschaffen. Daarom komt hier de Machtige Miraculo met een simpele (en goedkope) truc...

Zin om een zweeftruc te leren? Geen probleem! Je hebt maar drie simpele dingetjes nodig.
Een gekleurd plastic flesje van ongeveer 20 cm lang.
Een dun touwtje van ook ongeveer 20 cm lang.
Een afgebroken stukje vlakgom dat ietsje kleiner is dan de hals van de fles.
Klunzini, geef me de fles, alsjeblieft!

Lekker gedaan, hoor, Klunzini. Goed, we gaan verder. Voor je dit nummer voor publiek kunt opvoeren, moet je eerst het stukje gum in de fles stoppen.

Verzamel dan publiek om je heen en kondig aan dat je een fles in de lucht kan laten zweven. Ze zullen je meteen voor leugenaar uitmaken, maar dat hoort nu eenmaal bij het leven van een goochelaar. Doe maar net of je niks hoort.

LEUGENAAR!

GELOVEN WE NIKS VAN!

Hou de onderkant van de fles met één hand vast en duw het touwtje met je andere hand in de fles. Beweeg het touwtje op en neer, om te laten zien dat het niet vastzit aan de fles.

Laat het touwtje in de fles bungelen en hou de fles ondersteboven. Het stukje gum valt in de hals van de fles en daardoor komt het touwtje klem te zitten. (Blijf wel praten om het geluid van de vallende vlakgom te over- stemmen.) Zorg dat het touw- tje goed klem zit.

VLAKGOM

Zeg de toverspreuk 'Zweverama!' en hou de fles weer rechtop.

Als je de fles weer rechtop vast hebt, neem je het touwtje in je ene hand en kun je je andere hand onder de fles weghalen. Ongelooflijk, maar waar! De fles lijkt in de lucht te zweven met het touwtje erin! Het is fantastisch, eh... en ik ook!

DE ZAAGSHOW

Wat zou een boek over goochelen zijn zonder een hoofdstuk over mensen doormidden zagen? Half werk natuurlijk. Goochelaars zijn al jaren bezig zichzelf en anderen te onthoofden en stukjes mens af te snijden, te hakken, te zagen en te knippen. Maar vóór 1921 had nog geen enkele goochelaar geprobeerd iemand anders compleet in tweeën te hakken...

Zagen, zagen, wiede-wiede-wagen
Een zekere P.T. Selbit (zijn echte naam was Percy Thomas Tibbles, 1881-1938) vond het wel leuk om allerlei akelige trucs met zijn assistenten uit te halen. In het begin van de twintigste eeuw zaten er in zijn show nummertjes als:

- *Het menselijke speldenkussen*, waarbij het leek of er 84 akelig scherpe pinnen in een assistent werden gestoken.
- *De vrouw van elastiek,* waarin touwen om de enkels en polsen van zijn assistente werden gebonden, waar aan getrokken werd tot haar armen en benen een behoorlijk eind waren uitgerekt.

'ASSISTENTE' IS BLIJKBAAR EEN REKBAAR BEGRIP...

- *De stoomwals*, waarin Percy twee assistenten in een kist liet zakken boven op een derde assistent die in een andere kist lag. De derde assistent leek daarbij helemaal platgewalst te worden.

Maar op 17 januari 1921 voerde Percy een nummer op dat het publiek pas echt stomverbaasd achterliet en de goochelwereld op zijn kop zette.

Voor een bomvolle zaal in het Londense Finsbury Park Empire bond hij zijn assistente vast en stopte haar in een grote kist. De kist ging dicht en er werden drie glasplaten door spleten in het deksel geduwd. Er werden ook nog twee dunne platen ijzer door de kist gestoken, zodat die in acht vrij kleine stukjes verdeeld was, zoals Selbit meedeelde. En alsof dat nog niet genoeg was, haalde hij ook nog een bijzonder scherp uitziende zaag te voorschijn en begon de kist heel langzaam, om de spanning op te voeren, in tweeën te zagen.

De platen glas en metaal werden er toen uit getrokken, de twee helften werden uit elkaar gehaald – het hoofd van de assistente stak er aan de ene kant uit, haar voeten aan de andere kant. In het midden van de twee helften was helemaal niets te zien, alleen maar lucht…

Voor het verblufte publiek leek het net alsof Selbit zijn assistente dwars doormidden had gezaagd. Om het nog dramatischer te maken liet Selbit na deze act allemaal mensen emmers nepbloed leeggooien in de goot buiten het theater.

Hoe kreeg Selbit dit voor elkaar? Tja, net als met zo veel trucs was de techniek simpel, maar bijzonder effectief:

Hoe doen ze het toch?
Selbits doorzaagtruc

1. *De kist die Selbit gebruikte, had geen bodem en stond op een holle verhoging. De assistente ging de kist in en liet haar buik omlaagzakken in de holte.*

2. *Tegelijk stak ze haar hoofd, handen en voeten door de gaten in de kist. Daarna schoof Selbit de platen in de kist en zaagde die door tot op de verhoging, zodat de twee delen uit elkaar gehaald konden worden.*

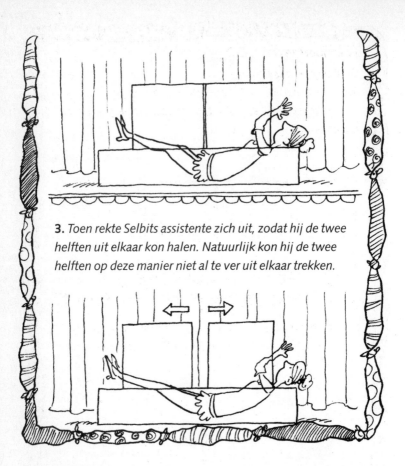

3. *Toen rekte Selbits assistente zich uit, zodat hij de twee helften uit elkaar kon halen. Natuurlijk kon hij de twee helften op deze manier niet al te ver uit elkaar trekken.*

Selbits truc was meteen een doorslaand succes, maar dat is nog maar de helft van het verhaal. Een paar maanden later begon de goochelaar Horace Goldin (1874-1939) uit New York op te treden met zijn eigen variant van deze truc. In Goldins act was de kist veel groter en toen hij hem had doorgezaagd, sloot hij beide helften af met een plaatje metaal en trok hij ze veel verder uit elkaar dan in Selbits truc. Hoe kreeg Goldin dat nu voor elkaar?

120

Hoe doen ze het toch?

Goldins doorzaagtruc

1. *Bij deze methode werden twee assistentes gebruikt. Eentje werd in de kist gestopt, de andere lag verstopt in de holle verhoging onder de kist.*

2. *Zodra het deksel dicht was, trok de assistente in de kist haar knieën op, zodat ze maar één helft van de kist innam.*

3. *Dan stak assistente nummer een haar hoofd en handen door de kist, op hetzelfde moment dat de tweede assistente – die in de verhoging verstopt zat – aan het andere eind* *haar voeten naar buiten stak. Goldin zaagde de kist door en kon de twee helften daarna een heel stuk uit elkaar halen. Hij kon de helft waar het hoofd van zijn assistente uit stak in feite net zo ver wegslepen als hij maar wilde.*

Eigenlijk was Selbits truc een stuk mooier. Doordat Goldins kist zo groot was, konden de mensen makkelijk raden hoe hij het deed. Alleen wist Selbit nog niet half zo veel reclame voor zichzelf te maken als Goldin. Voor zijn optredens zorgde Goldin er bijvoorbeeld altijd voor dat een ambulance, compleet met dokters en verpleegsters, de halve stad door reed met de aankondiging:

Vuile trucjes

Goldin had enorm veel succes met zijn truc, dus toen Selbit naar de Verenigde Staten besloot te gaan, kon dat alleen maar problemen opleveren…

We kunnen wel zeggen dat Selbit en Goldin geen dikke vrienden werden. Zelfs een beleefd gesprek zat er niet in… Goldin regelde namelijk dat hij in dezelfde steden zou optreden als Selbit, maar dan een week eerder. Geen halve maatregelen! Selbit zette zijn tournee toch door en ging in 1922 een beetje ontgoocheld terug naar Engeland.

Het duurde niet lang of Horace Goldin besloot om zijn truc nog mooier te maken. Het eindresultaat volgde in 1931 en kreeg de titel 'Het levende mirakel'. Ditmaal liet hij die hele kist achterwege. Zijn assistente ging simpelweg op tafel liggen en werd doormidden gezaagd met een enorme cirkelzaag van bijna een meter groot. Hij zette de zaag zelfs stil en draaide de tafel opzij, zodat het publiek het doormidden gezaagde meisje kon aanschouwen. Natuurlijk was ze een paar tellen later op wonderbaarlijke wijze weer helemaal heel. Het publiek ging uit zijn dak.

Een vrouw uit één stuk

In 1965 ging de goochelaar Robert Harbin (1909-1978) nog een stap verder met deze truc. In zijn nummer ging een assistente in een kist staan en werd ze in drieën gehakt door twee metalen platen.

Daarna werd het middenstuk – waar haar buik in zat – opzij getrokken, zodat ze in het midden met een gapend gat kwam te zitten. Bovendien kon het publiek haar hoofd, hand, voet en zelfs haar buik de hele tijd zien en zelfs aanraken.

Harbin noemde haar het Zigzagmeisje en de act was zo'n enorm succes dat andere goochelaars dezelfde truc ook gingen opvoeren. Robert Harbin was daar verschrikkelijk kwaad over, dus hij publiceerde in 1970 het boek *De magie van Robert Harbin*, waarin het geheim van de truc onthuld werd. Helaas moest iedereen die het boek kocht, beloven het geheim niet te zullen doorvertellen.

De Zaag des Doods

De doorzaagtruc is inmiddels compleet gemoderniseerd door niemand minder dan David Copperfield. In een van zijn trucs laat hij die hele zaag zelfs gewoon vallen en hakt hij zijn assistente in plaats daarvan in drieën met een laserstraal. En dan haalt hij het middenstuk doodleuk weg. Een ander nummer van hem is onlangs uitgeroepen tot de beste goocheltruc ter wereld. Het heet 'De Zaag des Doods'. David Copperfield wordt vastgebonden onder een gigantische cirkelzaag die razendsnel ronddraait en steeds dichterbij komt. Hij probeert te ontsnappen, maar dat lukt niet en de zaag snijdt voor de ogen van het publiek schijnbaar dwars door hem heen. Zijn assistenten duwen de twee helften van zijn lichaam vervolgens uit elkaar en schuiven zijn hoofd opzij, zodat hij zijn eigen voeten kan zien.

Dan zetten de assistenten de twee helften weer aan weerszijden van de zaag, halen de zaag weg en abracadabra, David is weer compleet. Het is een fantastische truc, maar hoe die werkt, is een van de vele geheimen van Copperfield.

Goed, nu komt het gedeelte waar iedereen al de hele tijd op zit te wachten…

Zaag je leraar in tweeën

Oeps, sorry, Miraculo. De tijd is om, deze truc kan er niet meer in, want we moeten verder.
Maar ach, misschien kun je zelf wel een manier verzinnen om het voor elkaar te krijgen. (Dat laatste was natuurlijk een grapje, snap je?)

BOEIENDE BOEIENKONINGEN

Begrepen? Mooi. Dan kunnen we nu kennismaken met een paar van de dapperste (of meest getikte!) goochelaars ter wereld, die bedacht hebben om zich tijdens hun waanzinnige show los te wurmen uit handboeien, touwen en dergelijke. We beginnen met een historisch overzicht van vroegere boeienkoningen.

Zeventiende eeuw
Chinese bedelaars treden op straat op voor geld. Een van hun ontsnappingstrucs was dat ze verschillende delen van hun lichaam uit verzegelde blokken hout wisten te krijgen.

Begin achttiende eeuw
De Franse artiest La Trude begint met ontsnappingen uit handboeien. Hij is populair onder bajesklanten en krijgt talloze aanbiedingen vanuit de gevangenis.

Rond 1780

De Italiaan Pinetti (daar is ie weer!) neemt ontsnappingsnummers met handboeien en stukken touw op in zijn voorstelling. Hij wordt zo beroemd dat hij zelfs mag optreden voor het Engelse koningshuis.

Begin negentiende eeuw

Er komen allerlei verhalen uit India over goochelaars die zichzelf kunnen bevrijden uit de meest ingewikkelde touwknopen.

Rond 1870

De Engelse arts Redmond wordt bekend als touwspecialist en handboeienkoning. Zijn patiënten vinden zijn kunsten bijzonder boeiend, waardoor zijn spreekuur altijd uitloopt.

Eind negentiende eeuw

Amerikaanse Cree-indianen doen hun eigen ontsnappingstruc. Ze binden de armen en benen van hun medicijnman vast en stoppen hem in een elandhuid. Daar moet hij dan uit zien te ontsnappen.

Harry Houdini, meestergoochelaar

Deze ontsnappingskunstenaars waren al behoorlijk indrukwekkend. Tot er een nieuweling op het toneel verscheen die zó goed was dat niemand er een touw aan vast kon knopen. Hij heette Harry Houdini en hij heeft een onuitwisbaar stempel gedrukt op het beroep van boeienkoning.

Houdini werd in 1874 geboren in Hongarije onder de naam Ehrich Weiss. Zijn familie was straatarm en verhuisde naar Amerika toen Ehrich vier was, op zoek naar een beter leven. De koosnaam die zijn ouders voor hem gebruikten, was 'Ehrie' en dat veranderde hij gaandeweg in Harry. De naam Houdini was afkomstig van zijn lievelingsgoochelaar, een zekere Robert-Houdin (ken je hem nog?).

Harry was geen doorsneekind. Op zijn achtste had hij al verschillende baantjes. Op zijn twaalfde liep hij weg van huis om een rondreis door Amerika te maken.

Hij werd artiest. Eerst als duo, samen met zijn broer. Ze traden op in kroegen en pretparken.

Een tijdje later besloot Harry alleen verder te gaan. Zijn optreden zat vol trucs met kaarten en munten.

Algauw raakte Harry geboeid door de kunst van het ontsnappen en hij breidde zijn voorstelling uit met een handboeienact.

Houdini vertrouwde zo rotsvast op zijn kunsten dat hij de uitdaging aanging met het grote publiek. Als hij ergens optrad, hing hij overal affiches op.

Die zagen er waarschijnlijk zo uit:

ZIJN JOUW POLSEN NET
ZO SOEPEL ALS DIE VAN MIJ?

MOOI NIET!

IK BETAAL 100 DOLLAR ALS JE
HANDBOEIEN KUNT VINDEN
WAAR IK NIET UITKOM!

EN DAN NOG IETS:
ALS IEMAND EEN VAN MIJN TRUCS
PRECIES KAN NADOEN, KRIJGT HIJ

5000 DOLLAR!

HH

Massa's mensen gingen de uitdaging aan en probeerden complete assortimenten handboeien op hem uit. Maar niemand kon handboeien vinden waar hij niet uit kon ontsnappen.

Houdini reisde Amerika en Europa rond met zijn nummer. In Londen liet hij zich in 1900 naar het hoofdbureau van politie afvoeren en vastzetten met hun allerstevigste handboeien.

Het gesprek tussen Harry en een Engelse politieman ging ongeveer zo:

Houdini raakte uitgekeken op handboeien en ging verder met touwen. Hij ontwikkelde allerlei manieren om zichzelf vast te binden, bijvoorbeeld aan zijn duimen, met een stuk waslijn of op de indiaanse manier, om er een paar te noemen. Het publiek bleef toestromen, dus Houdini bleef de hele tijd in touw.

Altijd op zoek naar nieuwe uitdagingen liet Houdini zich regelmatig opsluiten in een bekende gevangenis. Een van zijn beroemdste uitstapjes was een bezoek aan een gevangenis in de stad Washington in 1906. Houdini belandde op eigen verzoek in een cel en beweerde dat hij daaruit zou ontsnappen. Tot stomme verbazing van de gevangenbewaarders stond hij even later weer voor hun neus. Hij had niet alleen kans gezien om te ontsnappen, maar had ook nog allerlei andere cellen opengemaakt en een stuk of wat gevangenen van cel laten ruilen.

Houdini's publiek dacht echt dat hij bovenmenselijke krachten had, maar net als alle groten in de goochelwereld had hij een paar trucjes achter de hand…

Hoe doen ze het toch?
Houdini's ontsnappingsregels

1. *Zorg dat er altijd een geheime zak in je kleren zit, met een scherp mesje erin.*

GEHEIME
ZAK

2. *Je moet altijd reservesleutels bij de hand hebben.*

3. *Laat een orkest keiharde muziek spelen terwijl jij met veel lawaai uit een kast of kist probeert te breken.*

4. *Als je in de handboeien geslagen bent en vastzit in een dichtgetimmerde kist, die ze ook nog in het water laten zakken, zorg dan dat de kist aan één kant een schot heeft dat los kan.*

5. *Als je verschillende handboeien tegelijk om krijgt, laat die met het lastigste slot dan als laatste omdoen, dus het hoogst op je armen. Zodra je alle andere los hebt, glijdt die dan makkelijk over je polsen.*

De doodklap

Houdini was gek op publiciteit. Om vooral in de kijker te blijven, vond hij steeds nieuwe manieren uit om zijn ontelbare talenten te tonen.

Hij liet zelfs een keer een enorme voetbal maken voor een nummer en nodigde een grote menigte mensen uit om zijn ontsnapping bij te wonen.

Houdini leidde een heel bijzonder leven en het was dus wel passend dat hij niet vredig in zijn slaap overleed. Tijdens een voorstelling in 1926 vroeg een student hem achter de schermen of hij echt klappen in zijn maag kon verdragen zonder schade op te lopen. Houdini zei ja, maar voor hij de tijd kreeg om zijn buikspieren fatsoenlijk te spannen ter bescherming, gaf de student hem een keiharde stomp. Ondanks de pijn liet Houdini de voorstelling gewoon doorgaan, maar hij stierf kort daarna. Later bleek dat hij tijdens de voorstelling blindedarmontsteking had.

Heb je het idee dat een carrière als boeienkoning echt iets voor jou is? Mooi, want onze vriend de Machtige Miraculo staat klaar om je te helpen.
MAAR EERST NOG EVEN DIT:

EEN NOG ERNSTIGER WAARSCHUWING DAN ZONET: ZORG DAT ER ALTIJD EEN VOLWASSENE BIJ IS ALS JE DE VOLGENDE TRUC PROBEERT TE DOEN.

Voor dit spektakel heb je een grote zak nodig, een lang touw, een laken, een assistent en natuurlijk een volwassene. Gebruik NOOIT een plastic zak. Een stoffen zak is het beste. Maak er een van een laken. Klunzini, een zak, alsjeblieft!

Maak nu eerst kleine gaatjes in de rand van de zak, ongeveer 20 centimeter van de bovenkant.

Dan moet je het lange touw door de gaten rijgen. Laat twee lange stukken uitsteken uit de twee laatste gaten. Hoe dikker het touw is, des te makkelijker krijg je het los.

Nu ben je klaar om je assistent erbij te roepen. In mijn geval is dat natuurlijk Klunzini.

Laat je assistent de twee uitstekende uit-einden van het touw los-jes vasthouden. Kondig aan dat je zo dadelijk in de zak klimt en dat die dan dichtgebonden wordt, waarna je jezelf snel zult bevrijden.

Klim in de zak en trek, ter-wijl je neerhurkt, een lus van het touw van minstens 30 centimeter lang naar je toe (met twee handen). Je assistent houdt de twee uiteinden niet zo stevig vast, zodat het touw slap genoeg hangt om die lus naar je toe te trekken.

Je zit nu in de zak met de lus in je handen. Je assistent knoopt de twee uiteinden van het touw aan elkaar. Spreek af dat hij eenvoudige knopen gebruikt. Je kunt een toe-schouwer laten komen om te controleren of de knopen stevig vastzitten.

Dan bedekt je assistent de hele zak met het laken. Het publiek kijkt verwonderd toe en denkt dat je onmogelijk uit de zak kan ontsnappen. Roep dan vanuit de zak luid en duidelijk de toverspreuk 'Ontsnappabra!'

ONTSNAPPABRA!

Zodra het laken over de zak heen wordt gelegd, laat je de lus los. Nu heb je genoeg ruimte om je handen bovenuit de zak te steken. Maak de knopen snel los. Zodra dat klaar is, spring je uit de zak en gooi je het laken van je af. Het publiek klapt zich de handen blauw. Je bent nu net als ik natuurlijk een baanbrekende boeienkoning!

Dank je wel, Miraculo.
Dan is het nu tijd om te testen of jij je kunt meten met handige Harry Houdini of dekselse David Copperfield in je eigen...

ONVERGETELIJK OPTREDEN

Of je nu een klein voorstellinkje in je eigen kamer geeft, of een spetterend optreden in een gigantisch theater of op tv, je moet je trucs door en door kennen. De kijkers willen spanning en sensatie – en de kans dat ze de goochelaar kunnen betrappen tijdens een truc vinden ze ook prachtig. Als de goochelaar niet goed voorbereid is, krijgen ze misschien hun zin...

Als je succes wilt, moet je ervoor werken. Je weet waarschijnlijk zelf het beste wanneer je er klaar voor bent, maar om jezelf te testen kun je een truc opvoeren voor een of twee mensen. Als ze je smeken om hem nog eens te doen of te verklappen hoe je hem dat geflikt hebt, ben je er.

Genoeg gekletst. Hier volgt wat goede raad:

Je rekwisieten
Rekwisieten zijn de voorwerpen die je bij jouw onvergetelijke voorstelling allemaal gebruikt.

- Probeer een paar alledaagse voorwerpen in je show te gebruiken. Het publiek staat vaak compleet versteld van trucjes met gewone dingen.

- Gebruik je fantasie. Als je een truc met een bal hebt, waarom zou je die dan niet met een appel doen? Als je daarmee klaar bent, kun je er een hap uit nemen of hem aan een toeschouwer geven als dank voor het daverende applaus.
- Gebruik niet te veel rekwisieten, want daar wordt je podium zo rommelig van. Als je één ding vaker kunt gebruiken, doe dat dan ook.
- Sommige goochelspullen hebben geheime zakken of speciale hulpstukken, dus die moet je misschien kopen in een goochelwinkel. Maar wees gewaarschuwd. Sommige spullen zijn heel duur.

Er zijn drie soorten geheime zakken waar je als beginnende goochelaar iets over moet weten:

1) zakken die aan de onderkant opengaan, zodat je er iets uit in je hand kunt laten vallen;

2) kleine zakjes die op handhoogte aan de buitenkant van je kostuum zitten, dus op de plek waar je handen ongeveer zijn als je ze los laat hangen;

3) extra zakken in je goocheljasje.

139

- Zorg dat je kleren en je spullen bij je imago passen. Kleurige, maffe kleren wekken de indruk dat je een grappige goochelaar bent. Een zwarte hoge hoed en een smokingjasje maken een wat serieuzere indruk.

- Bedenk wat je nodig hebt en wanneer. Het is niet handig om iets links achter op het podium klaar te zetten als je het ergens rechts voor nodig hebt.
- Waar je ook gaat optreden, zorg dat je het daar kent als je broekzak. Behandel die plek als je tweede thuis, want hoe beter je je podium kent, des te relaxter je er kunt optreden.

Je praatje
- Het maakt niet uit wát je zegt, maar hóé je het zegt en wannéér. Je kunt zo spanning opbouwen voor een truc.

Zeg bijvoorbeeld:
„Wat u nu gaat meemaken, is een zeldzaam schouwspel. U zult stomverbaasd zijn en hoe hard u ook uw best doet om het te snappen, dat zal u nooit lukken."

En zeg nooit:
„Hier komt een trucje dat u misschien wel geinig vindt. Leuk

140

trucje, maar niks bijzonders. Eigenlijk kan iedereen het."

- Als je veel humor wilt gebruiken, moet je een hoop grappen uit je hoofd leren. Maar denk er wel om dat het ontzettend moeilijk is om een grap goed te vertellen. Korte grappen van één regeltje zijn in het begin misschien het beste.

- Ben je een wat serieuzere goochelaar, dan kun je misschien een verhaaltje om je trucs heen verzinnen, of de geschiedenis van die truc vertellen, als die bekend is.
- Het is ook heel goed om een paar regeltjes tekst geoefend te hebben voor als iemand in het publiek er van alles doorheen gaat roepen. Bij de meeste goochelshows zit minstens één zo'n spelbreker in het publiek. Probeer het om te draaien en zet die pestkop zelf voor gek:

Geef aan het begin een envelop met een papiertje erin aan iemand. Als de spelbreker dan dingen gaat roepen als: „Hé, wat een snerttruc!" dan zeg je: „Wat jammer dat de truc u zo slecht beviel. Maar misschien raakt u meer onder de indruk van de voorspelling die ik aan het begin van de show heb gedaan." Dan vraag je de persoon met de envelop om die open te maken en voor te lezen wat er op het

papiertje staat, namelijk: „Voorspelling: tijdens deze voor-
stelling gaat één persoon proberen het voor de rest te ver-
pesten. Deze persoon is een akelig, vervelend type en de
rest van het publiek lacht hem keihard uit."

- Je moet nooit voor het eind van een truc de verrassing ver-
pesten met aankondigingen zoals: „Als ik mijn hand open-
doe, zitten er twee rode ballen in."
- Vertel nooit wat iedereen met zijn eigen ogen ook wel kan
zien, zoals: „Nu maak ik deze kist open."

- Zorg dat je praatje heel opgewekt en origineel klinkt.
- Maak je publiek niet wantrouwig met uitspraken als: „En nu
bedek ik de bal met deze hele doodgewone zakdoek."
Jouw toeschouwers denken dan meteen dat er iets raars
met die zakdoek aan de hand is!

Je publiek

- Denk na over waar je publiek komt te zitten. Recht voor het
podium is de beste plek. Als er mensen opzij van het toneel
zitten, kunnen ze zien hoe je bepaalde trucs doet.
- Loop over het podium achter dingen langs als je wilt dat ze
gezien worden – een rekwisiet of je assistent – en ervoor
langs als de spullen er op dat moment niet toe doen.

- Draai je rug niet naar het publiek – als de mensen je gezicht niet kunnen zien, kunnen ze zich gaan vervelen. Als je naar achteren wilt, steek het podium dan schuin over.
- Je kunt een vrijwilliger gebruiken om het publiek af te leiden. Als je die vraagt om een spel kaarten te schudden, kijkt het publiek naar de vrijwilliger en niet naar jou.

Je stijl van optreden

- Zodra je je optreden bij elkaar hebt verzonnen, moet je gaan nadenken hoe al die stukjes en beetjes in elkaar gepast moeten worden. Het is de bedoeling dat je trucs vloeiend in elkaar overlopen, alsof het één lange truc is.
- Je eerste en je laatste truc zijn bijzonder belangrijk. Het is goed om af te sluiten met een grote klapper, maar het is ook handig om te beginnen met een spectaculaire opening: zo heb je meteen alle aandacht vanaf de eerste minuut.

- Professionele goochelaars hebben regisseurs die komen kijken bij het oefenen voor een show. Misschien kun je een vriend of vriendin zover krijgen om te komen kijken naar een repetitie en te vertellen wat hij of zij ervan vindt.
- Ga niet met je stijl rommelen – het komt voor het publiek heel raar over als je begint als een geinige goochelaar en dan halverwege verder gaat als een mysterieuze magiër.

- Herhaal je trucs nooit. Het publiek vraagt misschien of je het nog een keer wilt doen, maar doe dat vooral niet. De tweede keer is het altijd minder leuk en bovendien is de verrassing eraf, want de toeschouwers weten al wat er komt. En misschien ontdekken ze de tweede keer ook nog wel hoe de truc werkt...

- Het oude spreekwoord *Oefening baart kunst* past perfect bij de goochelkunst. Als je serieus bent en echt een eersteklas artiest wilt worden, kun je nooit te hard oefenen. In dit boek heb je een handjevol trucs geleerd, maar je kunt nog duizenden andere nummers vinden in boeken, tijdschriften en op internet. Een echte waanzinnige goochelaar blijft altijd op zoek naar manieren om zijn voorstelling te vernieuwen en te verbeteren.

- Neem je voorstelling op video op, als je een camera te pakken kunt krijgen. Dan kun je jezelf terugzien.

- Probeer te oefenen voor een hoge spiegel. Zo zie je jezelf net zoals het publiek je ziet.

- Je moet oefenen, oefenen, oefenen en nog eens oefenen. Oefen voor de spiegel. Oefen met de hond van de buren aan je voeten. Oefen voor de spiegel van je buren. Oefen met iedereen die maar kijken wil in de buurt.

- Schrijf je in bij een goochelaarsgenootschap.
  In Nederland is er de Nederlandse Magische Unie, waarbij 24 kleinere goochelverenigingen zijn aangesloten. Sommige daarvan hebben ook jeugdafdelingen, zoals bijvoorbeeld de Groningse Vereniging van Amateur-Goochelaars Passe Passe en de Goochelclub Rotterdam. Ook de Noord-Hollandse Bond van Goochelaars heeft een juniorenafdeling.

En dan nog dit...

Je bent nu bijna zover om de grote sprong naar het goochelpodium te wagen. Je moet nog maar één lesje in je oren knopen, namelijk: je moet het leren van de allerbesten. Ga bij zoveel mogelijk goochelaars kijken. Bestudeer hun technieken. Hun kleding. Luister naar wat ze zeggen. Denk na over hun nummers. Ga, als dat kan, met ze praten. Je kunt miljoenen tips oppikken van andere goochelaars. En bij wie kunnen we om te beginnen beter in de leer gaan dan bij onze eigen Machtige Miraculo?

Het halve hele touw

Voor mijn laatste truc moet je een horloge om hebben. Verder heb je een zakdoek nodig (liefst een schone, natuurlijk), een schaar en twee touwtjes: een van ongeveer 15 en een van ongeveer 40 cm lang. Klunzini, geef me mijn spullen even!

Maak een lus van het kortste touw. Dit is je 'geheime' lus. Plak de lus aan de uiteinden dicht met doorzichtig plakband. Kijk, zo. Dit moet je doen voor je op het podium klimt. Bij deze voorbereiding kun je geen pottenkijkers gebruiken.

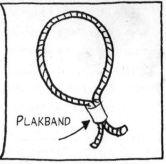

PLAKBAND

Prop deze geheime lus onder je horlogebandje. Vanaf nu noemen we je horlogehand je 'goochelhand' en je andere hand heet 'hand twee'.

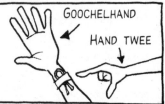

GOOCHELHAND

HAND TWEE

Nu ben je klaar voor de show. Kondig aan dat je een touwtje doormidden gaat knippen en het dan weer heel gaat maken. Pak het langste touw op met hand twee en leg het in je goochelhand. Je moet je goochelhand met de buitenkant naar het publiek toe houden.

GOOCHELHAND

Trek het langste touw omhoog met hand twee en maak een lus, die je vasthoudt met je goochelhand. Gebruik nu hand twee om dit touwtje te bedekken met de zakdoek.

Is dat klaar, trek onder de zakdoek dan snel met hand twee de geheime lus uit je horlogebandje naar de bovenkant van je goochelhand. Duw het langere touw dan omlaag in je handpalm, zodat het publiek het straks niet kan zien. Zeg de toverspreuk 'Helehalve-poef!'

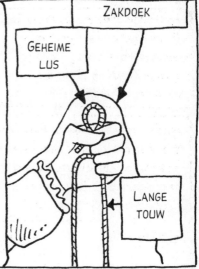

ZAKDOEK

GEHEIME LUS

LANGE TOUW

Trek de zakdoek weg zodat de geheime lus zichtbaar wordt (het publiek denkt natuurlijk dat dit de lus van het langere touw is) en vraag een toeschouwer om met de schaar de lus door te knippen.

Leg de zakdoek weer over je goochelhand en herhaal het toverwoord 'Helehalvepoef!' Trek de zakdoek met een zwierig gebaar weg, samen met de doorgeknipte lus. Haal dan het lange touw te voorschijn, dat wonderlijk genoeg weer uit één stuk bestaat. Maak een buiging, terwijl je overspoeld wordt door een donderend applaus.

Hopelijk heb je inmiddels genoeg trucs onder de knie gekregen om een onvergetelijk eerste optreden te verzorgen. Zo lang je maar oefent, oefent en oefent!

Is je iets opgevallen terwijl je dit boek aan het lezen was? Nee? Of toch wel: bijna alle goochelaars en illusionisten zijn mannen! Vrouwen mogen, zo lijkt het, alleen maar helpen bij een truc: ze worden doormidden gezaagd of verdwijnen in het niets. Lekker, hoor. Nou, daar is Sylvia Schuyer het echt niet mee eens! Zij heeft haar eigen show en trad op met Bassie en K3. Op de Duitse televisie had ze een stoere onderwateract, compleet met vissen en schildpadden. En over haar tekst hoeft Sylvia zich geen zorgen te maken: ze spreekt Nederlands, Engels, Duits, Frans, Spaans en Italiaans!

TOT SLOT

Je hebt op een magische manier het einde van dit boek bereikt. Was niet eens zo'n gigantische heksentoer, of wel soms? Onderweg ben je een paar geheimzinnige goochelaars en illustere illusionisten tegengekomen en heb je een schat aan goede goocheltrucs ontdekt.

Maar als je de goochelwereld nu al zo spannend vindt, bedenk dan eens hoe het in de toekomst wordt. David Copperfield gebruikt lasers in zijn show en Max Maven experimenteert met hologrammen. Nu de techniek zo razendsnel vooruitgaat, kunnen er zo duizenden nieuwe, verbluffende, fantastische trucs worden uitgevonden. En wie weet, misschien verzin jij daar wel eentje van.

Tegenwoordig is de vraag naar goochelaars en illusionisten groter dan ooit. Ook al kunnen we sneller vliegen dan het geluid of met iemand aan de andere kant van de wereld praten alsof hij vlak naast ons staat, de mensen staan nog altijd versteld van de simpelste trucjes. De moderne goochelaar spreidt zijn kunsten niet meer tentoon in een kraampje op de markt – sommige bofkonten trekken een miljoenenpubliek met tv-optredens en verdienen een fortuin. Kortom, in de eenentwintigste eeuw zijn goochelaars echte supersterren.

En die goochelaars blijven steeds grotere prestaties leveren. Je kunt er gerust je zakgeld om verwedden dat als straks het eerste theater op de maan wordt gebouwd, er een goochelaar gaat optreden.

Ben jij klaar voor de stap naar het goocheltoneel? Heb je je eerste voorstelling voor publiek al achter de rug? Heb jij het in je om een groot goochelaar te worden?

Waar wacht je nog op! Begin maar vast te oefenen. Want alle grote goochelaars moeten ergens beginnen, waar of niet? Wie weet ontdek je wel een manier om je school te laten verdwijnen.

Dát zou nog eens een goeie truc zijn…

HANDIG OM TE WETEN

Als je meer wilt weten over goochelen, heb je waarschijnlijk wel iets aan deze handige adressen op het internet:

GOOCHELGENOOTSCHAPPEN
www.goochelen-nmu.nl
De website van de Nederlandse Magische Unie (NMU), de organisatie van Nederlandse Goochelverenigingen en de organisator van de Nederlandse Kampioenschappen.

http://communities.msn.nl/NBG jeugd
De website van de juniorenafdeling van de Noord-Hollandse Bond van Goochelaars.

www.worldofmagicart.nl/hoofd2.htm
De website van de Nederlandse stichting World of Magic Art, die onder andere een speciaal programma voor scholen heeft om kinderen te leren goochelen. Op de site staan ook een paar goochellessen.

www.vgb-club.be
De website van de Koninklijke Vlaamse Goochelaars van België (KVGB), de Vlaamse zustervereniging van de NMU.

www.themagiccircle.co.uk
Dit is de Engelstalige site van The Magic Circle.

www.theyoungmagiciansclub.co.uk
De site van de jongerenafdeling van The Magic Circle.

BEROEMDE GOOCHELAARS
http://kazan.tros.nl
De website van Hans Kazàn en Oscar, Renzo & Mara.

www.hansklok.nl
De website van illusionist Hans Klok.

www.dutchmagic.nl
De website over het samenwerkingsverband van een aantal grote Nederlandse goochelaars.

www.davidblaine.com
De Engelstalige website van David Blaine.

www.lanceburton.com
Engelstalig, maar wel mooi met een Magic Secret Archive vol onthullingen van trucs!

www.davidcopperfield.com
De website van David Copperfield, in het Engels.

OVERIGE GOOCHELINFORMATIE
www.goochelen.pagina.nl
www.goochelen.startkabel.nl
www.goochelen.boogolinks.nl
www.spreekbeurten.info/goochelen.html
Dit zijn startpagina's over goochelen, goochelwinkels, goochelaars, en noem maar op.

REGISTER

:Waanzinnig om te weten

WAANZINNIG OM TE WETEN is een waanzinnige serie boeken. Ze zijn erg handig bij het maken van een werkstuk, maar ze zijn vooral leuk om te lezen! De boeken staan vol vreselijke feiten, curieuze quizjes en komische cartoons.

Tot nu toe zijn de volgende delen verschenen:

- Bloed, botten en de rest van je body
- Buitengewoon bijzondere beesten
- Machtige krachten
- Die onverslaanbare Olympische Spelen
- Die eeuwige Egyptenaren
- Die gave Grieken
- Die rare Romeinen
- Ruige ridders en kille kastelen
- Echt gigantisch, dat heelal
- Grappige, grillige en geniale getallen
- Kriebelende kruipertjes
- Crashende computers
- Chemische chaos
- Dooie Dino's
- Je briljante brein
- Je spetterende spijsvertering
- Explosieve experimenten
- Die verbazingwekkende Verenigde Staten
- Ongelooflijk gave opgravingen
- Vurige vulkanen
- Donder & bliksem en meer over het weer
- Schokkende elektriciteit
- B(l)oeiende regenwouden
- Linkspoten, buitenbeentjes en andere voetbalhelden
- Zeebenen & Zeebeesten
- Muziek – van Mozart tot megaster
- Handig handboek voor lijfbezitters
- Woeste woestijnen
- Machtige Magie en Goochem Gegoochel
- Mega mooie minimonsters

Wil je meer weten over deze boeken, kijk dan op: www.kluitman.nl